LAZARE

ANDRÉ MALRAUX

LE MIROIR DES LIMBES

Lazare

GALLIMARD

Lazare figurera dans le second tome du *Miroir des Limbes,* dont le premier a été publié sous le titre *Antimémoires.*

A
la mémoire de
Christian Fouchet.

I

J'ai été atteint d'une maladie du sommeil; mes jambes se sont à plusieurs reprises dérobées et je suis tombé, comme en syncope mais sans perte de connaissance; puis, deux fois au cours de la même semaine — la seconde fois, précédée d'un tournoiement convulsif. Examens. Professeurs et docteurs ne pourront se consulter que dans douze jours. En attendant, sclérose des nerfs périphériques et menace sur le cervelet, donc menace de paralysie. Laquelle?

Puisque je travaille peut-être à ma dernière œuvre, j'ai repris, dans *Les Noyers de l'Altenburg* écrits il y a trente ans, l'un des événements imprévisibles et bouleversants, comme la Croisade des Enfants — cent mille gosses partis seuls délivrer Jérusalem, exterminés ou pris pour esclaves — qui semblent les crises de folie de l'Histoire : la première attaque allemande par les gaz à Bolgako, sur la Vistule, en 1916. J'ignore pourquoi l'attaque de la Vistule fait partie du *Miroir des Limbes*, je sais qu'elle s'y trouvera. Peu de "sujets" résistent à la menace de mort. Celui-là met en jeu l'affrontement de la fraternité, de la mort, — et de la part de l'homme qui cherche aujourd'hui son nom, et n'est certes pas l'individu. Le sacrifice poursuit avec le Mal le plus profond et le plus vieux dialogue chrétien; depuis cette attaque du front russe, se sont succédé Verdun, l'ypérite des Flandres, Hitler, les camps d'extermination. Tout ce cortège n'efface pas la journée convulsive où l'humanité inconnue prit la forme de la démence comme devant la bombe atomique. Si l'aviateur s'était fait sauter avec sa bombe, au lieu de la jeter sur Hiroshima, nous ne l'aurions pas oublié — même après une autre bombe; si je retrouve ceci, c'est parce que je cherche la région cruciale de l'âme, où le Mal absolu s'oppose à la fraternité.

Nous connaissons assez ce qui s'est passé ce jour-là, pour l'imaginer; de ce qui s'est passé ensuite, il ne reste rien. Les souvenirs publiés cessent à l'ambulance; n'espérons pas en découvrir après soixante ans. En Alsace, à la fin de 1944, on ne connaissait plus les noms des survivants de Bolgako. L'histoire efface jusqu'à l'oubli des hommes; cette fulguration s'est aussitôt dissipée dans le néant des jours de guerre, car le second régiment, qui montait en ligne avec les ambulances, a enfoncé la ligne russe.

Il ne reste rien de l'événement. Pour trouver sa lueur surhumaine, la fulguration *devait*-elle s'effacer? Sinon, ne se serait-elle pas perdue dans les récits de délires, de saouleries ou de paniques, que les nations n'aiment guère à retenir? Cette attaque exerce sur moi la trouble et puissante action des grands mythes, du *Non* d'Antigone et de Prométhée. L'humanité archaïque vivait ses mythes; jusqu'en 1911, l'empereur de Chine conduisait la charrue pour tracer le premier sillon de l'année, comme l'empereur mythique avait tracé le premier sillon de la terre. J'ai revécu le mythe inconnu de la Vistule, parce que je l'ai écrit — sous une autre forme, en 1940 quand j'étais prisonnier, en 1941 quand je m'étais évadé. Je quitte, pour le reprendre, les fragments de ce livre où se bousculent mes souvenirs, mes obsessions, mes prémonitions. J'ai étudié l'attaque de Bolgako parce qu'un certain nombre de soldats qui la conduisirent étaient Alsaciens. L'Allemagne affectait alors volontiers l'Alsace au front russe. (D'où la liberté intérieure de mon personnage, qui combat pour l'Allemagne avec indifférence). J'ignorais, en 1941, que la brigade Alsace-Lorraine existerait un jour, que je serais lié à l'Alsace par le sang. La mort qui tourne autour de moi me livre à ceci, qui me parvint, il y a trente ans, de l'autre côté de la vie.

Shakespeare, arrachant le rideau, fait de la banalité de la mort, les révélations de Macbeth, de Hamlet, de Prospero; il nous révèle ce que nous savons. Avec les premiers gaz de combat, Satan reparaît sur le monde; mais le Fléau ne prévaut pas sur l'aveugle instinct de vie resurgi dans la seule forêt d'Europe où vivaient encore les bisons du quaternaire. Connaissons-nous tant d'exemples de l'homme et de la mort, broyés par la fraternité sauvage — inscrite en l'homme, programmée, diraient les ordinateurs ricanants? Ce jour-là, venue d'aussi loin que le Mal, la demi-bête des profondeurs où naquit l'homme, a découvert, en bavant, le défi de Prométhée. Peut-être investi par la mort, je me réfugie dans le récit d'un des plus énigmatiques sursauts de la vie.

L'individu n'y existe pas. Le commandant Berger, à peine. Dans la sape, il écoute; pendant l'attaque, il regarde. Le professeur gesticulant compte à peine plus que ses bull-dogs. Les autres parlent avec la plus vieille voix de l'humanité, la voix de caverne des soldats allemands dans la sape, des prisonniers français dans le camp. Au fond de l'ennemi, il y a aussi la miséricorde.

Quand l'auto du professeur s'arrête, le commandant Berger et le lieutenant-adjoint voient répondre à leur salut militaire le grand mouvement d'un feutre à large bord; une main rejette en arrière un cache-nez mis en écharpe (en juin), une autre lance à leurs pieds une cigarette à demi consumée : mains, cigarettes, cache-nez, cheveux gris presque longs, tout un pigeonnier s'envole du visage du professeur, qui ressemble à un Bismarck prestidigitateur. Un gros garçon placide quitte derrière lui l'auto, une mallette dans la main gauche, un panier dans la droite : son fils.

— Très heureux! dit le professeur, je suis vraiment très heureux, messieurs! J'ai toujours eu pour les officiers de renseignements un intérêt très particulier!

Du commandant, il sait que cet assez jeune ethnologue a été un conseiller du Sultan Rouge et l'adjoint d'Enver Pacha, présentement défenseur des Dardanelles contre les Alliés. Du professeur, Berger sait qu'il est l'un des quelques spécialistes des gaz de combat. Il s'intéresse plus aux gaz qu'aux minables histoires de renseignements qui encombrent ses journées.

— Allons dîner!

Le professeur a passé son bras sous celui de Berger surpris. *L'Europa* est le moins délabré des trois hôtels réquisitionnés à Bolgako. Sous le ciel calme à cause de la venue du soir, sous l'incertaine odeur des roses poussiéreuses pas encore fanées, un grondement de canonnade monte dans la solitude du jardin de curé.

La table est mise dans la chambre de Berger. Le professeur pose d'un air désolé son grand chapeau sur la cheminée, tire de son panier un flacon et une bouteille jaune dont il boit une gorgée au goulot.

— Pour l'asthme, messieurs! mais ceci (il tient l'autre flacon) notez! est de la véritable fine française. Parfaitement!

Il le pose sur la table avec tristesse.

— Mangeons : demain matin, les Russes seront enfoncés.

Toujours consterné.

Berger descend chercher la bière. Quand il revient, canettes en éventail autour des poings, le professeur, son fils et le lieutenant sont penchés sur des photos : la première, entre les assiettes, est celle de la maison du professeur. On va la démolir pour établir un champ d'aviation. Il espérait la sauver : un des télégrammes qui l'attendent lui apporte un refus définitif. D'où sa consternation. L'autre photo est celle des deux enfants du lieutenant.

— A mon tour, je vais vous montrer mes enfants, dit le gros fils du professeur.

Berger regarde : trois bull-dogs.

— Heinz a fait ses études à Oxford, dit son père. Puis il s'est spécialisé dans la médecine animale. Par vocation, notez!

— Par passion, murmure le gros Heinz endormi. Et, s'inclinant un peu comme pour une présentation, il ajoute d'un ton humblement orgueilleux : « Vétérinaire. »

Il ressemble aux bull-dogs, en mou.

— Demain, devons-nous faire seulement un essai, monsieur le professeur, — ou une véritable attaque? Comme la tentative précédente a échoué...

— Les essais qui ont eu lieu jusqu'ici sur ce front, je vous en prie!...

Il éclate d'un rire enfantin : comme les grands singes, ce moustachu est tour à tour vieux et enfant, jamais jeune.

— On a essayé d'employer des poisons. Mais c'est parfaitement idiot! l'acide cyanhydrique, l'oxyde de carbone sont des poisons parfaits, qu'est-ce qu'ils ont donné? L'acide cyanhydrique demande un demi-gramme au mètre cube d'air : le sujet entre en convulsions et tombe mort dans une rigidité tétanique. C'est parfait en lieu clos! Le champ de bataille figurez-vous, se permet d'être à l'air libre!

« Ensuite, quoi? On a essayé l'oxyde de carbone. En laboratoire. Toxique redoutable, présentant toutes les qualités requises, facile à préparer, bon marché! Il fixe l'hémoglobine du sang, l'empêche de s'unir à l'oxygène de l'air. Mais il y a toujours le problème de l'air libre!

« J'ai fait écarter les poisons. Nous allons employer... autre chose. Nous sommes au-delà des dérivés du chlore. Pas si mal, le chlore, vous savez! Facile à liquéfier, intolérable à l'organisme humain, très bon marché, notez!

19

D'après vos... collègues du front occidental, messieurs, notre attaque chimique sur l'Yser a déterminé entre dix et vingt mille intoxications immédiates : plus qu'il n'en fallait pour enfoncer le front anglais! Parfaitement! Mais si l'ennemi emploie des masques, il faudra tout recommencer!

— Quand on écarte les poisons, demande Berger, que s'agit-il d'atteindre?

Le professeur ouvre les bras avec un geste de danseur.

— Mais les muqueuses, mon commandant! C'est bien simple : les muqueuses!

« Nous avons des composés plus agissants que le chlore, naturellement! la virulence du phosgène atteint dix fois celle du chlore, mais le phosgène... »

Il passe devant la fenêtre ouverte, étend la main pour reconnaître le vent. Au-delà du jardin, les bulbes et les croix d'une église orthodoxe brillent dans le soir au fond de la place en pente. La voix du professeur énumère les qualités et les défauts du phosgène, et Berger ressent la profondeur du monde slave jusqu'au Pacifique.

Le professeur jette sa cigarette éteinte par la fenêtre qu'il referme, et revient, épanoui :

— Le vent est toujours excellent, toujours excellent! Je crains d'ailleurs moins une saute de vent qu'une humidité soudaine...

Il a déjà allumé une nouvelle cigarette et repris son dîner.

— Mais nous en sommes à la préhistoire, dans la guerre chimique! le sulfate d'éthyle bichloré, c'est peut-être le gaz de combat par excellence. Un produit caustique, vésicant et toxique à la fois! Tout particulièrement dangereux, notez! car le sujet ne souffre pas au moment même de l'intoxication : l'action commence plusieurs heures après...

« Efficace jusqu'à une partie pour quatorze millions de parties d'air! »

Et, agitant la photo de sa maison comme une preuve :

— Sans doute la chimie est-elle l'arme définitive, l'arme supérieure qui conférera aux peuples qui la manieront bien, — qui la gouverneront! — une suprématie mondiale... Parfaitement! Peut-être l'empire du monde, vous entendez!

— Est-il probable que le Service de renseignements ennemi puisse se procurer nos formules? demande le lieutenant.

— Avant six mois, nous aurons employé six gaz différents! Voyez-vous, il va se passer entre les gaz et les moyens de protection, la course de vitesse commencée depuis des milliers d'années, depuis... le premier fabricant de casse-tête! entre la lance et la cuirasse, la balle et le blindage! Seulement, et voilà ce qui donne à la question toute sa gravité...

La photo lui échappe. Il se baisse pour la ramasser, sans s'interrompre :

« ...depuis que cette lutte existe, ce n'est jamais le blindage qui gagne la dernière manche, entendez-vous!

— Monsieur le professeur, vous avez bien dit que les nouvelles découvertes permettent d'intoxiquer les troupes ennemies sans que celles-ci le sachent, n'est-ce pas?

Le professeur brandit de nouveau la photo de la maison :

— Une partie pour quatorze millions de parties d'air!...

« Si vous vous placez d'un point de vue supérieur, les gaz constituent le moyen de combat le plus humain. Parfaitement. Car le gaz s'annonce, la cornée opaque devient d'abord bleue, la respiration commence à siffler, l'iris — c'est même à noter! — passe presque au noir. En somme, l'ennemi est prévenu. Or si je crois que j'ai ma chance, même infime, je suis courageux; mais si je sais que je ne l'ai pas, le courage, pffuit!...

— Ce sera un grand malheur,

dit le lieutenant, si nous devons voir disparaître de l'Empire le vieux sens allemand de la guerre...

— Oui! répond le professeur sèchement. Mais les Allemands sont aussi des hommes, et susceptibles de faiblesse, non?

« Le sulfate, lui, est incorruptible. »

Une heure plus tard, le professeur sait que le jeune ethnologue ne s'intéresse qu'à l'homme, le lieutenant, qu'aux Allemands; Berger sait que le professeur ne s'intéresse qu'aux gaz de combat, et Max, qu'aux chiens. Le professeur savait en arrivant que les camarades de Berger le surnomment Frégate, et ce nom d'oiseau ou de bateau ne va pas mal à son visage de proue. La voix intérieure de Berger nomme le professeur, tantôt Bull-Dog et tantôt Bismarck. Le vent n'a pas changé, la canonnade a cessé; des pelles éloignées sonnent, au-dessus du pas triste et lent d'un cheval. Une cavalerie glisse au fond de la nuit; il y a trop de guerre au ras du sol pour l'angoisse métaphysique. Le vent frais de la nuit glisse fidèlement vers la Russie.

A six heures du matin, Berger attend le professeur et le lieutenant dans la sape qui communique avec les tranchées de première ligne. L'attaque ne doit pas être annoncée avant leur arrivée. Berger a été installé dans une petite sape (destinée au commandement?) qui communique avec la première, vaste cave rayée des barres diagonales du jour que lancent les trous d'observation comme des saluts d'épées. Il ne voit les soldats que lorsqu'ils traversent ces faisceaux d'atomes. Presque tous, assis par terre, causent.

— Le tsar! dit la voix la plus haute. Anéantir l'Allemagne! (On replie un journal.) Anéantir l'Allemagne! Il reste dans son palais, à Pétersbourg! Sous terre! Malheureux de voir ça!

Et le peuple qui est assez con pour l'écouter! Le Grand Frédéric, y a une chose qu'on peut dire, les gars, c'est que, lui, il se mettait à la tête de son armée, et puis il marchait devant!

Brouhaha indifférent.

— Les Français, ils en ont plus, de fusils, dit une autre voix, en parenthèse.

— Toi, quand on te réveille la nuit pour te filer un coup de bière, tu crois que c'est un contre-appel, et puis tu viens parler du Grand Frédéric! Ça vous fait mal!

La discussion, partie comme un furet dans un autre coin d'ombre, est remplacée par des confidences :

— Dans mon métier, c'est pas absolument manuel, c'est plutôt la tête...

— T'es ajusteur?

— Fraiseur.

— Oui, c'est comme moi, dans le découpage, c'est l'attention, la tête, quoi!

La modestie du ton n'appelle pas l'ironie.

Un temps. Une autre voix continue une autre confidence :

— Les femmes, elles travaillent au triage; avant, c'était au fond, maintenant c'est au jour, y a un tapis roulant. Mais quand on est marié, on peut plus travailler à la mine.

— Un mineur a pas le droit d'être marié?

— Pas les hommes : les femmes. La femme mariée, elle peut plus passer la porte de l'usine. Fini.

Le silence, de nouveau. Au loin, la profonde canonnade et l'éclatement des obus.

— Et t'sais, dans les sapes, dans les galeries, on travaille toujours à poil, juste le pantalon. Pour le maquillage des yeux, t'as pas à t'en faire! Mais pour la peau, la poussière de charbon, c'est sain... La lampe, c'est le bon Dieu, sans ta lampe t'es perdu.

Malgré les barres de lumière venues des trous d'observation, le respect magique avec lequel est prononcé le mot lampe s'accorde à l'obscurité.

— Y a une inspection toutes les semaines, tu parles d'une revue de détail! Moi, j'avais une petite poule, une jolie petite poule; ma lampe, elle me l'astiquait tous les jours.

Un homme qui se souvient de l'amour lorsqu'il pense à une lampe de mine et à un torse nu couvert de charbon...

Une autre voix, plus près :

— ... Le gars a spécialement demandé le rapport du capitaine pour avoir sa permission : il avait fait le front Ouest, il avait rebondi ici, il était pas allé une fois en détente! Il avait une gosse de cinq ans. A cinq ans, les gosses, ça commence à comprendre... Alors, il a eu sa perm, il s'amène, et la gosse elle dit : « Où que tu couches? — Ben, qu'il répond, dans mon lit! — Alors, qu'elle dit, la môme, le Suisse, y pourra pas venir? » Ah! dis donc! y avait un Suisse qui couchait toutes les nuits avec la bonne femme!

— Et alors?

— Ben, rien. Il s'est pas marré...
Mais il a laissé courir, à cause de la
gosse...

Le bombardement rageur emplit la
sape.

— Moi, j'en connais un qu'est venu
en perm, sans pouvoir prévenir. C'était
la nuit, il a frappé : on a pas ouvert.
Et i'savait bien que la femme était là!
Presque toute la nuit il a frappé. Elle
a pas ouvert. Elle a pas voulu ouvrir.
Alors il a compris. Il est rentré à l'escadron, et pis i's'est pendu. Comme ça,
avec sa ceinture, au-dessus de son lit.
C'était pourtant un lit ordinaire...

Berger n'a jamais connu la cham-
brée. Mais malgré les casques à pointe
recouverts de toile qui passent parfois
dans les rais de jour, il entend la voix
secrète des hommes, plus profonde que
celle de la guerre.

— Le *Messager boiteux*, j'y crois
pas, mais il a dit : « Quand la récolte
aura été mauvaise et que les serviteurs
auront leur nom qui commencera par

la même lettre que celui du Maître, y aura la guerre...

— Hindenburg...

Aucun ne prononce le mot Hohenzollern. Berger connaît le *Messager boiteux*, un des vieux almanachs édités à Strasbourg. « Quand la récolte aura été mauvaise... » Le lien paysan, sans âge, de l'imprévisible récolte avec l'imprévisible destin.

— Qui c'est qui gagne, dans la prophétie? Nous?

— Non...

— On s'en fout. Le *Messager*, encore des conneries alsaciennes.

— Ça m'aurait étonné! Bien sûr, les Alsaciens, personne n'en veut!...

— Ta gueule! Y en a quand même pas mal, ici!

On dit, plus loin :

— Quand nous sommes arrivés, elles avaient déjà été violées par les Cosaques et par les Autrichiens, elles protestaient même plus...

Nombre de soldats qui ne portent

pas de chemise ont déboutonné leur tunique.

— Tu ne connais pas la croix luthérienne? répond une voix enrhumée, à une question que n'a pas entendue Berger : qu'est-ce que tu connais?

Voix différente de celles entendues jusque-là — populaire encore, mais retenue, et où passe un sourire. Sur une poitrine, un rai de lumière fait briller avec un éclat électrique, les branches d'une croix et la goutte lumineuse de la colombe huguenote. La même voix répond de nouveau à une question :

— Je ne suis pas croyant, mais j'aime aller au temple, quelquefois. A condition d'être tout seul. Dans certaines circonstances...

— Lesquelles?

— Si je suis malheureux... Ou si je veux me souvenir...

Ceux qui parlent s'éloignent. Un temps assez long s'écoule : les canons ne tirent plus que par intervalles, la

31

marche des hommes qu'il vient d'entendre — des sous-officiers — les ramène vers Berger.

— Il y a toujours un problème moral avec les volontaires. Voyez : il m'en faut trois, tout à l'heure, et ces histoires de gaz peuvent toujours être... sérieuses... J'ai pris les trois plus sympathiques. Pourquoi? Parce qu'ils en avaient envie; ça leur plaisait, je voulais leur être agréable... En fait de plaisir, je les ai peut-être condamnés à mort. Et j'aurais dû choisir ceux dont la mort a le moins d'importance...

— Et comment le résolvez-vous, le problème moral?

Berger n'entend pas la réponse : un geste sans doute... Il est étonné que les sous-officiers aient été informés de la nature de l'attaque. Une autre voix lui apprend que les troupes le sont aussi :

— Nous, quand je travaillais encore dans la Ruhr, on est arrivés dans une sape qu'avait été touchée par le grisou, y avait longtemps. Y avait un ouvrier, comme vivant, avec son pic au bout du bras, et le cheval, derrière, qu'avait encore l'air de traîner sa benne. C'était le gaz qui les conservait, mais l'air, il est arrivé avec nous. On y était pas depuis dix minutes, le gars et le bourrin, en poussière tous les deux! Qu'est-ce que t'as à rigoler, conard! puisque je te le dis!

Un brouhaha sans précédent brasse l'obscurité d'où sort enfin :

— Les gaz, j'vais t'dire c'que ça fait...

C'est la voix lente et basse du peuple en face du mystère, la voix qui fait soupçonner que celle des sorciers était sans doute infantile :

« Les gaz, j'vais t'dire : le gars qu'est touché, hein, i'reste immobile. Immobile qu'i'reste... I'peut plus bouger. Juste comme il était quand ça l'a pris, la même chose. Des types qui jouent aux cartes, par exemple...

— Avant même de s'en apercevoir, on est mort!

— Et si le vent changeait?

— Le commandement a organisé l'attaque! crie un sous-officier.

— On dit ça... » répond faiblement quelqu'un.

C'est tout, jusqu'à un nouveau spécialiste des gaz.

— On a fait des essais sur le front Ouest... Quand i' sont arrivés, les Français se méfiaient pas, y avait tous les fossoyeurs qu'apportaient des morts à un cimetière, près de la Maison des Morts. I' sont restés là, le pied en l'air avec les morts dans les couvertures, dis donc! Tous pareils, comme les morts dans les vitrines.

— Oh pardon! C'est pas pasque t'es fossoyeur qu'i faut venir nous raconter des conneries.

— Le pied en l'air que j'te dis, pauvre abruti!

— Ah ça va! ça va!

— Puisque moi j'te dis qu'i'sont restés là!

Ils ignorent qu'il n'existe pas en France de Maisons des Morts. Le ton monte, selon la technique de la discussion populaire : répéter la même chose en criant de plus en plus fort. Le canon couvre les voix.

— Un cantonnier arrêté pile, son balai de travers, tu te rends compte?

— Le cochon qu'on égorge, i'reste le couteau dans le bide mais ce coup-là i'peut plus gueuler!

Les hommes parlent, ou les métiers?

L'ironie permet de rêver sans honte. Chacun voit la vie soudain arrêtée — moins peut-être celle de l'ennemi, que la sienne.

— Le comptable qui finit pas son addition..., murmure une voix timide.

— C'est pas si sérieux qu'on dit, ces trucs-là, les mécaniques, les gaz...

Ces gens-là connaissent point les bêtes. Si tu fais une fente au nez d'une mule, elle peut plus braire. On l'entend plus. Tu te rends compte, ce qu'on pourrait faire avec des mules comme ça — une cavalerie que les autres ils entendraient pas?

J'écoute peut-être ceux qui vont mourir, pense Berger. Chacun croit qu'il parle de lui... Depuis combien de temps les dieux les entendent-ils? Les dieux de la forêt, Charlemagne... On dit : le peuple allemand. Leur pauvre tête prend ce costume-là, comme ils ont pris leur uniforme. L'ancienne chrétienté... la race blanche peut-être...

Il se souvient de l'Asie centrale, des caravaniers. Les steppes, le petit feu, le ciel immense — un semblable murmure, comme la voix de la terre. Dieu beaucoup plus présent. Mais le balbutiement qu'il écoute ne plonge-t-il pas dans le temps, dans l'homme, au-delà des paroles divines?

— Ils mobilisent les gosses de dix-sept ans, les Français! y en a la moitié qui désertent...

— Y aura une révolution, c'est un pays qu'a toujours une révolution...

— Vos gueules!

Les gaz les intéressent plus que les Français.

— Quand même, vous voyez ça, le maréchal-ferrant avec son marteau au-dessus de l'enclume! qui bouge plus! Ces trucs-là, c'est des blagues, le marteau tomberait, vu qu'il est trop lourd.

— L'électricité, elle, a'doit rester allumée...

Berger pense à la ville des Mille et Une Nuits où tous les gestes humains, la vie des fleurs, la flamme des lampes ont été suspendus par l'Ange de la Mort. Le geste pétrifié des forgerons fabuleux sous une lumière à peine troublée du passage des volontés humaines, éphémères comme cette guerre et comme les armées. Celui qui vient de parler de l'électricité, une tête d'alcoolique héréditaire, farfouille dans une valise de poupée misérable. L'obscurité est de nouveau habitée. Les timbres des voix changent, mais les tons restent les mêmes — la même résignation, la même fausse autorité, la même absurde science et la même expérience, la même inusable tristesse et la même inusable gaieté, et les discussions qui ne connaissent que l'affirmation de plus en plus brutale, comme si ces voix de l'obscurité ne parvenaient pas à individualiser leur colère.

Le temps redevient le temps qui dépend des ordres supérieurs. Sous un des rais de lumière, net sur le sol charbonneux, un jeu de tarots est étalé; une main en tire de temps en temps une carte, avec un murmure qui s'efforce de prévoir une vie... Cette main sans corps semble courir sur les cartes comme un rongeur, de toute éternité.

Après un nouveau silence, une voix

chuchote, sur un ton d'excuse atten-
drie :

— C'est pas pour sa beauté que je
l'ai épousée...

Un des hommes montre une photo à
un autre? Ses paroles, dans l'obscurité, prennent une intensité mysté-
rieuse. Autour des rais de lumière, nul
ne montre rien. Sous le plus proche,
un adolescent au fin visage lit. Que
fait-il dans ce régiment territorial?
Est-ce lui, qui vient de parler? Il n'a
pas bougé une seule fois depuis que
Berger écoute. Accroupi dans le jet de
lumière lancé par le trou, il lit. Comme
le plafond des sapes est bas!

Deux silhouettes passent, confon-
dues devant une faible auréole : la photo est éclairée par la flammèche d'un
briquet. Avec la même résignation, la
voix enrhumée qui avait dit : « Je vais
au temple quand je veux me souvenir... » répond :

— Oh! moi, tu sais, ma femme, elle
est pas bien jolie non plus...

Le fossoyeur revient.

— ... Mais vois-tu, elles ont trouvé un chien. On pouvait bien le garder, hein, puisqu'on l'avait pas payé! La femme, elle l'a appelé Peterl, presque comme moi. La petite, jamais elle avait pu prononcer le nom de son père. Eh bien, tu me croiras si tu veux, depuis qu'il y a le chien, la gosse, elle dit Peter comme tout le monde!

La voix devient amère :

— Elle y était pas arrivée pour moi. Enfin, c'est quand même un résultat...

Les rais de lumière se brouillent : dans le ciel, une migration d'oiseaux descend vers la Vistule. Berger écoute venir de l'épaisse pénombre la voix de la seule espèce qui sache — si mal — qu'elle peut mourir.

Tous les hommes de la sape se lèvent. Quelqu'un vient d'entrer :

« Mettez les masques! La 132e d'abord! »

Berger comprend pourquoi les soldats savaient qu'ils allaient suivre les gaz.

Ils se harnachent, dans la nuit aux taches de jour, et se dirigent vers la contre-sape avec un tintamarre de bidons, de boucles et de ferrailles, pour gagner la première ligne. Leur capitaine vient chercher Berger. Ils partent ensemble, les derniers. Les cartes à jouer n'ont pas été ramassées. Ni le livre que lisait le jeune homme au visage d'étudiant : *Les Aventures de trois boy-scouts.* Les soldats doivent-ils revenir? Ils partent à la file, de dos. La tranchée atteinte, ils apparaissent de profil, groin en avant. Par une chicane percée obliquement dans le parapet, Berger voit le terrain qui les sépare des tranchées russes, clair après l'obscurité de la sape. Sur le fond vert déjà jauni par l'été, de grandes vagues d'ombelles déferlent dans le vent. La première ligne allemande est un peu plus bas, au-dessus de fleurs blanches à demi sèches; le vent, qui dessine au loin sur elles de longs ramages, les secoue furieusement devant les trous d'observation. Deux versants opposés, la rivière au fond. Le versant russe s'élève dans une telle sérénité, que les barbelés semblent des clôtures champêtres. Pas un homme, pas un animal. Le canon s'est tu. Il fait beau comme avant la guerre.

Une longue poussière soulevée monte dans le soleil. Pas en panache, comme les sillages des autos; partout aussi dense et aussi haute, comme un mur. Elle grandit, bien qu'on n'entende aucun moteur. La route disparaît; l'émission des gaz a commencé.

Une à une, quatre ambulances gagnent des boqueteaux, en avant des tranchées.

On se bat pour regarder par les créneaux. Le professeur serre les bras au-dessous d'un trou d'observation, grand faucheux bismarckien, pattes ramassées vers le cache-nez dans lequel il tente d'emmitoufler ses moustaches. La nappe de gaz atteint les troncs parallèles d'un verger de pommiers, puis leurs branches. Le fond de la vallée n'est plus qu'un brouillard jaune, rougeâtre le long des prés et des sapins verts, et d'où sort, fantomatique, un haut poteau de télégraphe.

La nappe de gaz glisse sur un kilomètre de large, vers la position avancée des Russes. Elle s'infiltre dans un bois, cache les bases des sapins sans en atteindre les sommets, reparaît au-delà, laissant les crêtes en dents de scie émerger sur fond de brouillard comme dans les estampes japonaises. Elle continue sa molle ascension, couvre les champs dont les rubans montent vers les hauteurs, les prés violets de trèfles, les derniers seigles, et les vastes rectangles piqués de meules; enfin, au plus haut, vers les tranchées russes, les boqueteaux de plus en plus serrés, et le lambeau de forêt haché de clairières qu'a pilonné l'artillerie. Rien n'y bouge.

Quelque chose fonce des lignes russes vers les gaz : un cheval, très petit même à travers les jumelles. Les gaz semblent aller beaucoup plus vite, maintenant qu'ils approchent des tranchées. Le cheval les charge sans cavalier, avec le mouvement balancé des galops lointains. Il s'arrête, tournoie, reprend enfin sa course vers la gauche, et un bruit de sabots sur une route parvient à travers la terre, surprenant de netteté, beaucoup plus proche que cet infime cheval lancé dans l'immensité. Un hennissement s'élève, porté par la vallée. A travers les jumelles, le cheval dresse la tête pour hennir, comme hurlent les chiens. Il reprend son galop, fonce droit vers les gaz. On n'entend plus ses sabots. Il disparaît dans le silence.

Il ne reparaît pas; l'avance sourde et sans fin des gaz, qui semble devoir continuer jusqu'aux limites de la terre, le hennissement perdu, les bords presque nets de la nappe, commencent à donner à ce brouillard, l'âme menaçante d'une machine de guerre.

Les Russes ont-ils abandonné leurs positions? Il est difficile, même avec les jumelles, de deviner l'instant où les gaz atteindront leurs tranchées. Bientôt, elles seront recouvertes; et, sauf ce cheval d'Apocalypse hennissant dans le plein soleil avant de se précipiter comme pour un sacrifice, rien ne les quitte. Qu'elles soient abandonnées est impossible. Au fond de la vallée, le petit bois de sapins, le poteau télégraphique et ses isolateurs ont disparu sous l'accumulation des gaz; à mi-côte, quelques cimes d'arbres dépassent encore... Les graminées, les minces chardons qui cachent le trou d'observation, deviennent silhouettes sur le fond roux et laiteux. Le professeur, le nez pincé par un tic entre ses jumelles et ses moustaches, presse Berger de tout son poids.

L'ennemi a-t-il trouvé un moyen d'arrêter les gaz, immobiles à la limite du parapet? Le vent en pousse une nouvelle vague, qui, elle, continue sa marche comme si elle sautait par-dessus les premiers. Berger se souvient :

« La cornée opaque devient d'abord bleue, la respiration commence à siffler, la prunelle, c'est même très curieux! passe presque au noir... Aucun des Russes ne pourra supporter la douleur... »

Cela se passe-t-il sous ce brouillard où rien ne bouge, et qui avance avec des torsions de saurien préhistorique, comme s'il ne devait plus s'arrêter sur la terre?

— Quand nos troupes arriveront là, il n'y aura plus de gaz dans les tranchées?

— Rien à craindre! répond le professeur, péremptoire; le gaz sera évacué, et il y a l'ambulance!... Il ne s'agit pas d'y rester! Et d'ailleurs, n'est-ce pas, je...

La fin de la phrase est écrasée par une frénétique reprise des canons russes. Ils pilonnent les gaz comme ils pilonneraient une charge. Les obus éclatent en rouge, spasmodiques, dans la nappe redevenue jaune; quand ils déchiquettent ses bords, la charpie avance un peu plus vite que la masse, sans pourtant s'en séparer tout à fait. La nappe qui grouille de leur éclat rouge, comme une rivière de celui du soleil couchant, pousse avec indifférence sa marche de fléau, devenue ce qu'elle est : le gaz de combat.

Aussi soudainement qu'elle s'est déchaînée, l'artillerie russe cesse de tirer.

— Pour ceux qui ressentiraient des symptômes d'empoisonnement, crie aussitôt dans la tranchée une voix de commandement, c'est bien compris : retraite vers l'ambulance! Goût d'amandes amères, sifflement de la respiration... Compris?

Quand Berger et ses compagnons quittent la tranchée, les gaz ont disparu de l'autre côté de la crête : il n'en reste que le brouillard japonais au fond de la vallée, et une traînée noirâtre sur tout ce qu'ils ont atteint, comme si leur passage avait laissé un morceau d'hiver sous le ciel rayonnant. Toujours rien vers les tranchées russes.

Des compagnies, parties beaucoup plus tôt, franchissent la rivière. Berger les voit nettement. Les Russes les voient-ils aussi? Entre les vastes bancs stagnants de brume, des hommes rampent comme entre des marais, se dispersent, se rejoignent. Aux cimes des sapins, le vent secoue des lambeaux de nuages roux. La rivière dépassée, les compagnies, sans cesser d'avancer, prennent la formation de combat.

Chacun est suspendu au premier obus qui annoncera le nouveau pilonnage de l'artillerie russe — le massacre, l'écrasement.

Berger retrouve des jumelles sa 132e, maintenant parmi les compagnies de tête. Sous la ligne de casques à pointes tendus de toile, semblables aux casques sarrasins, les petits corps masquent les barbelés; l'avance cahotante s'arrête, les taches humaines commencent à s'emberlificoter dans le réseau des fils, à y gigoter comme des mouches dans une toile d'araignée. A l'opiniâtre progression que l'éloignement ralentit comme il a ralenti celle des gaz, succède un guignol sur place. Puis tous disparaissent dans la tranchée russe, ou au-delà.

Non : certains restent sur les barbelés. De nouvelles compagnies arrivent, flottent, plongent. Toute la brigade avance. On n'entend que le vent; sur tout le champ de l'attaque, plus un homme. Plus de guerre, rien que l'éblouissant soleil sur l'immensité paysanne, sur la ville de bois bizarrement intacte là-bas avec son clocher en bulbe. Mais ni Berger, ni le lieutenant-adjoint, ne quittent du regard l'imperceptible ligne des tranchées russes.

Le professeur semble avoir enfoncé dans ses orbites, ses jumelles qui tremblent. Les troupes ont reçu l'ordre de continuer vers les secondes lignes ennemies, d'occuper au plus vite les boqueteaux, derrière la crête que masque maintenant la marche des gaz; pourtant, aucun des soldats ne reparaît.

— Peuvent-ils avoir été gazés eux-mêmes? demande enfin Berger.

Le professeur hausse rageusement les épaules; ses jumelles secouées perdent le champ.

— On a dit qu'ils n'y restent pas! On a donné l'ordre qu'ils n'y restent pas! S'ils y passent leur vie, évidemment!...

Sa main gauche lâche ses jumelles

tressautantes, se crispe sur le bras de Berger : un homme en manches de chemise vient de surgir de la tranchée.

Un homme de deux mètres cinquante, aux toutes petites jambes... Sans masque. Il s'arrête, tombe. Il y en a un autre sous lui. Tout le long de la tranchée, des hommes en manches de chemise, taches blanches nettes malgré la distance, sortent, sans groin. Tous trop hauts, comme des géants de foire dont la tête, trop haute aussi, cahote au bout d'un manche à balai invisible. Pourquoi diable les soldats ont-ils retiré leur tunique et leur groin?

Plusieurs géants de foire se rompent. La partie du corps en manches de chemise tombe; l'autre continue d'avancer. Ils sont faits de deux hommes, l'un portant l'autre. Y a-t-il déjà tant de blessés? Toujours ce silence sous le vent.

Les soldats verts masqués rechargent les taches blanches sur leurs épaules, leur cortège clopinant s'engouffre dans les passages entre les fils cisaillés. Il ne part pas vers les Russes : il revient.

Sur toute la ligne, à travers les passages — une pullulation confuse autour des soldats à groin qui portent les taches blanches avec un mouvement hésitant, comme des fourmis leurs œufs —, les compagnies refluent. Elles abandonnent la position russe. Dans ce silence sans un coup de canon. Sans un coup de fusil.

Le professeur laisse tomber ses jumelles, qu'un cordon suspend à son cou, et court devant lui, cache-nez au vent.

A gauche de Berger, il y a un cheval : il le prend, fonce. La retraite maintenant éparse des compagnies apparaît et disparaît, de plus en plus près. Berger croise enfin la course de deux soldats qui le regardent sans voir. Ils ne voient rien. Ils courent. Ils ont conservé leur groin. Scaphandriers de quelque océan, bêtes d'une autre planète.

— Que font les Russes?!

Il hurle, ils ne l'entendent pas : de l'homme, ils n'ont gardé que la faculté de courir. Ils disparaissent sous les arbres. Son cheval hennit comme celui qui s'est jeté dans la nappe des gaz. Apparaît un soldat de la 132ᵉ. Il court lui aussi, masqué, casque perdu. Berger place son cheval en travers :

— Quoi, qu'ont fait les Russes? hurle-t-il de nouveau.

L'homme répond frénétiquement en agitant les bras et le cou. Berger lui fait signe de retirer son masque. L'autre crie. Berger devine : « On peut pas!

— On ne peut pas quoi? et vos armes?

— On peut pas! On... »

Il crie « non » des mains, des épaules, de la tête. Il s'étrangle. Les deux mains en avant avec le geste de l'orateur qui adjure une salle, il montre le trèfle incarnat aux fleurs serrées qui les entoure tous deux, comme s'il dénonçait cette toison rose entre les murs sombres des arbres. Il repart avec frénésie. Berger remet au galop son cheval; au sortir du bois, l'animal foudroyé glisse de cinq mètres sur ses pattes rigides et le précipite dans les buissons. Quand il relève les yeux, le cheval est encore dans sa pose terrible de statue. La vie revient dans ses babines qui découvrent ses dents; elle s'engouffre d'un coup, de ses oreilles à son échine; il repart, emballé. Berger est devant le terrain qu'ont traversé les gaz.

Il masse sa rotule, le regard devant lui; ses doigts rencontrent quelque chose de répugnant, touffe de cheveux morts, toiles d'araignées, flocons de poussière agglomérés. Sa botte a raclé le sol sur un mètre, accumulant entre cuir et genou les trèfles et les ombelles de carottes sauvages qui poussent jusque dans les buissons : noires, gluantes, comme rapportées d'un fond de vase. La forme des fleurs est intacte. Celle des cadavres aussi, somme toute : sa main se rétracte du dégoût de la vie pour la charogne. Dans le pré dégagé devant lui sur plus de trois cents mètres, les gaz n'ont pas laissé un centimètre de vie. Sur les hautes graminées tombées, le soleil luit avec le lugubre éclat qu'il a sur le charbon. Quelques rangs de pommiers décomposés ressemblent aux arbres à lichens, leurs feuilles couleur de fumier collées aux branches blafardes. Pommiers taillés par l'homme, tués comme des hommes : morts plus que les autres arbres, parce que fertiles... Sous eux, toute l'herbe est noire. Noirs les arbres qui ferment l'horizon, gluants eux aussi; morts les bois devant quoi passent en courant quelques silhouettes de soldats allemands qui s'y renfoncent en voyant Berger se relever. Mortes les herbes, mortes les feuilles, morte la terre où s'éloigne, dans le vent, le galop emballé du cheval. Berger met son masque.

Seuls restent verticaux, entre les pommiers, des chardons en touffes, dont boules, épines, feuilles, sont devenues du même roux de fleur prête à tomber en poussière, tandis que leurs tiges ont pris le blanc répugnant des pièces anatomiques dans les bocaux. Le pré poisseux étend entre deux murs de forêt ses branches d'équerre. Bien que blessé au genou, Berger peut marcher; il traîne des mottes de plus en plus lourdes. Le galop de son cheval s'est perdu dans le bruit du vent. Un autre cheval aux pattes réunies comme dans les instantanés de courses s'effondre devant lui, peut-être celui qui a foncé sur les gaz : pas encore raide, les yeux ouverts et gris, le poil pourri comme l'herbe et les feuilles, muscles convulsés. Autour de lui montent des bouillons-blancs aux cierges roux comme les chardons, mais toutes leurs feuilles recroquevillées; une grappe d'abeilles tuées est collée à l'une des tiges comme les grains d'un épi de maïs. Au-delà de cette entrée de vallée des morts, au-delà d'une ligne lointaine de poteaux et de fils télégraphiques, le vent pousse de hauts nuages dans le ciel sans oiseaux.

Berger avance lourdement. Isolé dans la solitude comme pour veiller le cheval gazé, s'élève un arbre mort; non pas moisi de gaz, mais toutes ses branches nettes, anguleuses, ossifiées, avec la poussée tragique de tous les arbres morts de la terre. Cet arbre pétrifié depuis tant d'années semble, dans cet univers de pourriture, le dernier vestige de la vie. Une pie passe d'un vol ralenti, ses plumes blanches découpées dans ses ailes noires; et tombe comme un oiseau de chiffon.

A travers la clairière, Berger atteint l'autre rive de la forêt. Il ne s'agit plus de marcher dans le dégoût, mais d'y plonger. Le taillis des ronces et des aubépines doubles est fauché, gluant lui aussi, de ce roux livide de bête crevée qui devient noir à vingt mètres. Les ronces n'accrochent plus : avec l'inquiétante sensation d'avoir retrouvé sa force, Berger avance sans résistance à travers une barrière épineuse en déliquescence sous ses genoux, sous son épaule, sous son ventre. Seules piquent encore les longues épines des acacias, dont les branches ne se rompent pas au premier contact; leurs feuilles pendent comme des salades cuites, avec çà et là une araignée morte au centre de sa toile où perle une rosée verdâtre. Le lierre agglutiné pend aux troncs suppurants. Chaque pas fait monter, des buissons écrasés, une odeur amère et douceâtre, celle des gaz? Apparaissent quatre soldats masqués couverts de feuilles : les moins atteintes par les gaz se collent sur celles qui s'engluent à leur uniforme, mais le grand vent les souffle comme des feuilles mortes. Les soldats avancent l'un derrière l'autre, sans se regarder, seuls dans cette forêt pourrie; à peine est-il possible de passer à deux de front dans le sentier. Berger le barre, mais son autorité a disparu; et il n'est plus à cheval. Ils ont autant d'horreur que lui de ces feuilles, de ces troncs purulents, décomposés debout. Le premier s'arrête à moins d'un mètre, lève son groin :

— Ça me concerne pas..., dit-il entre ses dents, regardant tout sauf Berger, d'un regard traqué, — moi, ça me concerne pas!

Et il prend sa course à travers les arbres, happé par la glu. Le second et le troisième passent coude à coude, comme s'ils se soutenaient contre Berger. L'un lui crie au visage :

« Mais non, mon vieux, mais non! » comme excédé d'un long discours (peut-être celui qu'il a subi, depuis le début de la guerre, de tous ses officiers...). L'autre rit hystériquement, et Berger ne devine son rire qu'au tremblement ininterrompu du groin.

Est-ce que vous avez des blessés? pense Berger. Le soldat passe. Berger n'a rien dit. Pas même levé son masque. Le dernier soldat, arrivé à sa hauteur, hoche le groin, hésite, frappe du pied, fait tomber en pluie les feuilles collées à sa capote, lève son masque :

— Parce que moi, mon Commandant, j'ai quelque chose à vous dire!

Et stupéfait d'entendre sa voix emplir ce silence, il s'engouffre, comme les premiers, dans les fourrés agglutinés.

Au-delà des rideaux d'arbres dont quelques hautes cimes demeurent vertes dans le vent, au-dessus de ces bois infernaux, la côte très raide montre à Berger la débâcle des compagnies, des centaines d'hommes en manches de chemise portés par d'autres. Boitant, courant au plus court, il entre de nouveau sous les arbres infects. Les soldats dont il croise la fuite, gluants de feuilles, ne lui répondent pas. L'un d'eux, arrivé tout près de lui, regarde en arrière à la dérobée, avec un mouvement nerveux du cou. Il fuit, mais pas de peur.

Au-dessus de ravins profonds, la lumière découpe en silhouettes, comme aux orées, le monde sordide de la forêt liquéfiée. Un corps poussé de bas en haut, en manches de chemise encore, surgit avec les bras pendants des descentes de croix. Puis, celui qui le porte. Le premier gazé allemand... Berger court, tombe de nouveau, court; la douleur de son genou s'est endormie.

Ce n'est pas un Allemand, c'est un Russe.

Le porteur est bien allemand. Il lève son masque, et regarde haineusement Berger.

— Qu'est-ce qu'il y a? Quoi? Quoi?

L'Allemand a une tête de paysan,

très ancienne. Son front se plisse, devient encore plus bas. Il regarde Berger de biais. Portant le Russe sur ses épaules, il a jeté son fusil. Berger croit avoir crié, et s'aperçoit pour la seconde fois, qu'il n'a pas articulé un mot. Il lève son masque.

— L'ambulance! dit enfin l'homme entre ses dents, menaçant.

— Qu'est-ce qui se passe, sacré bon dieu!

Berger vient de retrouver sa voix.

— Là où qu'i'a des trucs pour soigner!

Le front de l'homme se plisse de plus en plus. Il semble beaucoup plus âgé que Berger, qui sent, comme si le soldat le criait, à quel point il méprise son apparente jeunesse. Le soldat fait un effort de tout le tronc : attentif à ne pas laisser tomber le corps, et pourtant brutal comme s'il voulait lancer le visage du Russe à la figure de Berger. Son coup d'épaule rejette en arrière la tête pendante qui se retourne, remplaçant les cheveux semblables à du tabac par la face gazée — atroce. De sa capote monte la même odeur amère et douceâtre que des branches écrasées. Le mouvement, la façon dont l'Allemand tient le corps, expriment une fraternité maladroite et déchirante.

— Faut faire quèque chose..., dit-il, un peu moins menaçant.

Les lèvres et les yeux du Russe sont violets dans sa peau grise. Ses ongles raclent sa chemise pour l'arracher, sans parvenir à la saisir. Sous les arbres sinistres d'où continuent à tomber des feuilles gluantes, la lumière étend la marbrure des futaies, plombée par la décomposition; tout près, le vent ride l'eau épaisse d'une mare, bordée de moisissures intactes semblables au cresson, dont les petits îlots roulent un cadavre ballonné d'écureuil, la queue molle. Le porteur repart pesamment.

Berger doit sortir de ce bois où il

n'apprendra rien, où rien d'humain n'existe, ne peut plus exister. Le vide lumineux du ravin qu'il contourne en cahotant donne une netteté d'ombres chinoises aux haillons des basses branches, aux masses de feuilles comme des capotes pendues, à des tentacules collés aux troncs, à ce monde de fond de mare. Mais ce n'est pas seulement le vide du ravin, c'est la proximité de l'orée qui presse maintenant, dans un brouillard poudroyant, tous ces troncs enveloppés d'algues mortes; un brouillard plein d'étincelles de juin dans la retombée du vent, et qui ramène la forêt submergée à la paix des sous-bois d'été. Berger a regardé cinq secondes le visage du Russe gazé. Depuis un an, il a vu son compte de blessés et de morts, la raideur des premiers cadavres sous leurs couvertures, les visages de charbon entre les lignes de barbelés; aucun visage de tué ne lui fera oublier cette face terrible.

Ce qu'il atteint n'est pas une clairière, mais un nouvel espace de prés murés par les arbres de vase : l'herbe pourrie révèle d'innombrables toiles de petites araignées de terre, intactes, toutes perlées d'une rosée vireuse; elles brillent dans la lumière frisante, d'un bout à l'autre des prés abjectement fleuris. Sur toute cette scintillation nauséeuse flamboie un point de lumière, comme une fenêtre qu'un éclat du soleil couchant fait surgir d'une ville dans la brume crépusculaire. Il tremblote à la poitrine d'un soldat courbé sous un Russe jeté sur ses épaules, bras de-ci, jambes de-là. Une breloque dans le triangle de la chemise ouverte jusqu'au ventre, et l'homme est assez proche maintenant pour que Berger devine la colombe et le crucifix, la double goutte de la croix huguenote. Il retrouve la petite croix comme un visage d'ami.

Cette tête de bon chien giflée de cheveux que le vent rabat sur le nez, sans

casque, ne ressemble guère à celle entrevue dans la sape... Le soldat arrêté,
masque relevé, groin comme un chapeau pointu, les paupières battantes,
redresse le torse, lentement pour ne
pas laisser tomber le corps qu'il porte,
assez pour échapper à une douloureuse ankylose.

— C'est loin! dit-il.

Celui-là aussi se veut hostile; pourtant, au fur et à mesure qu'il redresse
prudemment son torse sous le Russe,
son visage sourit à la désolation qui les
entoure. Berger voit l'insigne de son
grade :

— Sous-officier?   Qu'est-ce   qu'il...
Pourquoi...

L'homme hoche la tête, et, le cou
calé sous le corps qu'il porte, grimace,
sans que sa grimace parvienne à détruire le sourire hébété que le repos
élargit sur son visage.

— Pourquoi..., répète-t-il, ahuri.

Berger croit reconnaître la voix enrhumée qui disait dans la sape : « Il y

a un problème moral avec les volontaires... » Sûrement pas un paysan.

— On ne peut pas non plus les laisser
là-haut!...

Il parle des Russes.

— Il y a un ordre de repli?

Le sous-officier écoute en tanguant
sur un fond de pommiers mangés de
gui chancreux, ses grosses lèvres écar-
tées, avec toujours le même battement
précipité des paupières.

— Il n'y a plus d'ordres..., dit-il enfin.

Ne pouvant faire de geste sous le
lourd corps qu'il porte, il secoue la
tête comme pour exprimer que les
ordres ont à jamais sombré, avec le
monde entier.

— Les officiers? crie Berger.

— Je sais pas...

« Ils font comme nous...

« Non, l'homme n'est pas fait pour
être moisi! »

Il reprend sa marche haletante —
vers l'arrière. Berger le suit.

— Si la guerre... devient... comme
ça... dit le sous-officier.

Il s'arrête pour reprendre souffle.
Une feuille entre dans sa bouche ouverte. Il la crache comme il vomirait,
n'achève pas.

Deux soldats qui portent un Russe
sur leurs bras en chaise sortent de
la corne du bois; ils s'arrêtent, et,
se courbant jusqu'à ce que leurs
mains touchent le sol gélatineux, y
couchent leur blessé. Ils se relèvent
avec le même sourire soulagé que le
sous-officier, regardent au-delà des
bois et des champs morts — pour gagner l'ambulance, ils redescendent vers
la rivière —, des lignes de tournesols
énormes que le vent secoue; au loin, les
couleurs existent toujours, les fleurs,
les taches fauves et vertes de la terre,
les ramages du vent sur la rivière et
sur l'immensité. Le Russe allongé entre
eux, fait un effort pour se retourner sur
le ventre, y parvient enfin. Les deux
Allemands se redressent lentement, les

jambes encore à demi ployées, stupéfaits de retrouver cette vallée de Terre Promise.

Berger laisse retomber ses jumelles : son compagnon, le sous-officier, parle. Moins haut que ses bottes, qui pompent la vase des feuilles.

— Quoi? crie Berger.

Le sous-officier voudrait montrer du doigt, mais il tient par la capote celui qu'il porte.

— Il se débine, leur gars..., répète-t-il enfin.

Le grand vent s'engouffre dans les chemises des deux porteurs que le repos abrutit; derrière eux, le gazé essaie de ramper vers les lignes russes. Plus de cent mètres le séparent du bois; à chaque effort, il retombe; remonte vers sa tranchée, vers l'étroite fosse à gaz où sans doute se décomposent les siens. Le plus inhumain n'est pas ce mourant qui rampe, bras dans la boue jusqu'au-dessus des coudes, yeux en face des bouillons-blancs gainés d'essaims morts; c'est le silence.

Les porteurs à groins ont enfin vu le mouvement du Russe. Ils le rejoignent, l'un lui botte les fesses, tous deux le reprennent dans leurs bras, repartent et disparaissent.

Berger s'est engagé de nouveau sous les arbres. Il devrait monter vers les lignes russes, chaque pas l'en éloigne; sa consigne était de ne pas quitter le professeur : Quel professeur? Il revient vers l'ambulance. Il devrait aussi aider son compagnon qui halète à chaque pas sous son mourant; il ne le regarde pas, ne le touche pas. Il descend, descend à travers les fourrés, bras ballants, regarde d'un œil idiot des oiseaux morts sur le magma qui fut la mousse. La tranchée ennemie, pourtant, est creusée à moins de trois cents mètres. Il se retourne sans cesse vers elle, mais, pas après pas, il s'en écarte.

Le sentier oblique vers les positions

allemandes. Un homme y bondit à quatre pattes, spasmodiquement. Nu. A deux mètres, l'apparition lève son visage gris aux yeux sans blanc, écarte les lèvres comme pour un hurlement d'épileptique : Berger s'efface. Folle de douleur avec les mouvements de tous les fous, comme si son corps n'était plus habité que par un supplice, en quelques sauts de grenouille, l'apparition s'enfonce dans la purulence.

Un hurlement traverse le silence préhistorique; le hurlement de l'extrême souffrance, qui finit en miaulement.

Berger entend de nouveau une trouée dans ces bois morts.

Il y a au-dessus du sentier, des capotes russes lancées à la volée, des chemises accrochées aux branches comme par les obus; aucune trace d'explosion. Tout près, dans une infime clairière cachée par une ligne de tournesols, une trentaine d'hommes sont écroulés dans une tranchée en T : un poste avancé de l'ennemi.

Morts, plus ou moins nus, retombés sur un pillage de vêtements lacérés, cramponnés les uns aux autres en grappes convulsives. Bêtise des rêves de la sape, morts immobiles leurs cartes en l'air! Des pieds sortent du grouillement pétrifié des morts, orteils crispés, comme des poings... Pas de plaies.

Bien que les mains de Berger soient immobiles, son épaule droite tremble. Ses muscles se contractent comme si tout son corps voulait se mettre en boule; ses coudes serrent si furieusement ses côtes qu'il respire à peine. Sans doute les croyants appellent-ils présence du démon une semblable visitation de l'épouvante. L'Esprit du Mal est plus fort encore que la mort, si fort, qu'il faut trouver un Russe qui ne soit pas tué, n'importe lequel, le mettre sur ses épaules et le sauver.

Cinq ou six sont épars dans les buissons, au-dessous d'une capote accrochée par le col, pendu qui oscille dans le vent sur ce délire; Berger se jette sous le premier, s'arc-boute dans les ronces molles et se relève avec lui. Il tient des poings comme des cordes. L'homme s'est débattu dans les tournesols et le bracelet d'un de leurs fruits énormes et plats, décomposé par le gaz et troué d'un coup comme un gâteau, brinqueballe à son bras. Ces gâteaux s'appellent des couronnes... On dit : couronnes mortuaires, non?... Berger, paupières serrées, tout son corps collé sous ce cadavre fraternel qui le protège contre tout ce qu'il fuit, marmonne : " Vite, vite, vite ", sans savoir ce qu'il veut dire, et n'a plus conscience de marcher. Mais il prend soudain conscience que le Russe qu'il porte est mort, et le laisse tomber.

Il se redresse enfin. La lumière l'envahit malgré ses paupières collées; il ouvre les yeux. Tout le haut du versant russe lui apparaît : Ces longs boqueteaux à flanc de colline, rongés et noircis par un automne définitif, tués par une force sans retour comme celle de la Création, ne sont plus rien en face d'un seul visage gazé : sur ces étendues frappées d'un châtiment biblique, Berger ne voit plus que la mort des hommes. Et pourtant — ses yeux s'accoutument au soleil — il sent le flamboiement mort frémir, comme la brousse frémit de ses bêtes invisibles en marche vers les points d'eau. Il distingue au loin des points blancs de chemises, nombreux, par lignes presque parallèles; de chaque promontoire de forêt, les porteurs, leurs lignes coupées et recoupées par une fourmilière de fuyards, descendent lourdement dans le vent jusqu'à la clairière. Ce que font ces hommes, Berger l'apprend maintenant : non de sa pensée, mais du corps sous lequel il enfonçait jusqu'à mi-jambe... Béant, il regarde dégringoler vers les ambulances l'assaut de la pitié.

Devant lui, le sous-officier qu'il a oublié emporte pesamment son Russe. Lorsque Berger, masque levé, le rattrape, il entend :

— Qu'est-ce qu'il y a de drôle?

Il comprend qu'il rit aux éclats. Ils marchent sous le vent qui, derrière la crête, apporte encore les gaz.

Bien que la matière végétale soit morte, les formes ne sont pas toutes détruites; les ronces et les fougères, comme les chardons, dressent souvent au-dessus de l'herbe retournée au limon, des silhouettes intactes. Elles se dressent encore dans les endroits abrités. Le vent, moins chargé de feuilles maintenant, les chasse comme des papiers brûlés; de longues ronces viennent comme des fils d'araignées se pulvériser sur la tunique de Berger, et tombent sans que s'accrochent leurs épines.

— Nom de Dieu? dit soudain le sous-officier d'une voix bizarrement interrogative. Il s'arrête, le poids de tout son corps sur sa jambe gauche enfoncée dans la tourbe. Les quelques phrases qu'il a dites jusque-là ont été dites au vent, bafouillées en tenant à peine compte de la présence de Berger; cette fois il tourne vers lui son visage et tout le corps du Russe; et pourtant il regarde " en dedans ", les yeux absents, aux aguets de son corps.

— T'en as déjà mangé, toi, des amandes amères?

— Qu'est-ce qu'il y a? Vous l'êtes?

Épiant sa langue, son palais, le sous-officier, redressé d'un coup, se délivre furieusement du Russe, les bras dressés dans les ronces et les fougères du grand vent, tandis que le corps qu'il portait dégringole avec un bruit mou. Le Russe revient à lui; Berger entend son souffle affreusement sifflant, voit sa main sur le genou du sous-officier. Celui-ci dégage sa botte de la pourriture des graminées, mais la main ne lâche pas le pantalon vert.

— J'ai trois enfants! crie le Russe en allemand.

Son autre main tente de déchirer sa chemise.

« J'ai trois enfants, j'ai trois... »

La phrase apprise par cœur, la conjuration qui devait le préserver dans la guerre. Il la répète précipitamment, les mots coupés par un sifflement de soufflet troué, comme si ses poumons étaient perforés; le sous-officier regarde partout où il peut ne pas le voir, paupières battantes comme lorsqu'il a rencontré Berger, et tire furtivement sa jambe que l'autre retient.

— Moi, j'ai vingt-six ans! hurle-t-il.

Le gazé ne comprend pas. Cheveux presque gris, traits inachevés de moujik. Ses grosses lèvres bleues bougent — parlent; ses yeux bleus aux iris noirs regardent. Il ne lâche pas le pantalon.

Le sous-officier arrache à la main et aux graminées pourries sa botte qui frôle le visage du gazé, court vers l'ambulance de toute sa force. Devant

Berger, des silhouettes enfoncent les buissons; comme le sous-officier, comme lui-même, elles vont vers la grande lueur d'une clairière, d'où le vent apporte une voix :

— ...rien faire!... Plutôt l'autre! par ici! Bleu foncé... Tout au bout à gauche!...

Berger va vers cette voix, ne peut plus courir.

— C'est idiot! Contre-indiqué! Bleu... A gauche...

Au-dessous du bois, un capitaine rallie les hommes, tente d'organiser le transport des mourants vers l'ambulance. Des infirmiers aux masques d'oxygène éblouissants vont vers des corps couchés. Le professeur, couvert de feuilles lui aussi, son cache-nez dans le vent, le chapeau en arrière et les bras en ailes de moulin, tourne autour du capitaine comme un chien de chasse, court aux intoxiqués, revient. Berger le hait comme les soldats l'ont haï lui-même quand ils l'ont rencontré. Le professeur court à lui :

— Vous voyez! vous voyez! Décisif! Parfaitement!

Il hurle : « Mais non, idiots! », se retourne : « Ceux-là (Berger sait quelques mots de russe), ça ne va pas! dites-leur donc! »

Ses prunelles affolées battent la clairière où les gazés deviennent de plus en plus nombreux.

— Oui, ces idiots qui boivent!

Ce sont des Russes que les porteurs viennent de déposer à côté d'un ruisseau. Ils lapent avec des convulsions.

— Contre-indiqué! Contre-indiqué! Issue fatale s'ils boivent!

Devant les Russes couverts de feuilles, Berger prend conscience de l'être aussi, se secoue sans cesser de les regarder.

Tout près, un commandant russe, délivré du masque à oxygène, ouvre les yeux.

— Faites avancer le plus possible les

79

ambulances! crie le capitaine allemand à Berger. Au moins une! Beaucoup de victimes à nous aussi!...

Les Allemands ont retiré leur groin. Berger croit ne voir que des Russes... Sauvés? L'un se précipite, l'embrasse, tire de sa poche une photo : femme et enfants. Ils prieront pour lui... Le Russe se trompe de sauveur. Berger entend les moteurs des ambulances dans les montées du vent, se hâte vers leur bruit. Son genou lancinant lui donne envie de vomir. Quand retombe le vent, l'appel des moteurs s'éteint comme si les ambulances étaient très éloignées, et dans chaque trou des frondaisons, dans chaque échappée, Berger cherche une perspective au fond de laquelle apparaîtrait la route. Dégagé de la forêt gazée, il traverse un bled d'orties et de teignes, ébahi par leur éclat, leur vert vivant, les fines dents de scie à métaux des feuilles d'orties, les teignes rougies à blanc; à tel point stupéfait de retrouver des couleurs qu'il croit voir partout au loin la petite tache des ambulances camouflées. Beaucoup de ronciers ont déjà le grenat de la vigne vierge; devant eux, le bleu incandescent des campanules et des chicorées, le blanc des carottes sauvages, pétales rebroussés par les bourrasques, sont si intenses, que ses paupières reconnaissantes battent comme une montre à secondes. Dans cette palpitation de braises rouge et bleue, le bruit des ambulances invisibles approche, s'éloigne, reprend, et soudain, multiplié par un écho, semble entourer Berger.

Enfin le bruit se maintient dans les retombées du vent; les ambulances avancent à sa gauche. Berger y court : les moteurs qu'il entend ne sont pas ceux des ambulances, mais ceux des camions qui précèdent une colonne.

Au passage, les chauffeurs, puis les soldats, l'examinent, stupéfaits : boucle de ceinture, agrafes, toutes les parties métalliques de son uniforme sont couvertes de vert-de-gris. Ainsi, bientôt, regarderont-ils le premier gazé. Outre leur paquetage, ils portent au côté leur masque. Berger les regarde, lui aussi, l'un après l'autre : ils montent en ligne, et le barrage de la pitié ne sera pas efficace plusieurs fois. C'est seulement à mourir, que l'homme ne s'habitue pas.

— Vous avez des ambulances? crie Berger au premier sous-officier.
— Oui, à l'arrière!
Berger se sent enfin inutile — vidé. A ses pieds, sur la poussière blanche, les graminées découpent leurs fleurets, leurs constellations de folioles; sur toute cette flore d'infimes et frémissants roseaux, les chardons vivants dressent leurs hampes forgées. Faits de la même paille légère, des insectes s'agitent autour de ces minces avoines, tremblantes du lointain ébranlement de la route sous les bottes, et bousculées par le vent.

Jaune sur l'uniforme où collent encore des feuilles, une sauterelle vient s'agripper à la cuisse de Berger. De même que les gaz ont tout confondu dans une même purulence, la vie renaît d'une seule matière, de cette paille dont la tension de ressort anime à la fois les plus légères graminées et le fin élan de la sauterelle, enfuie dans la poussière embrumée de soleil. Sur un rideau d'arbres, le vent passe avec le murmure marin qu'il a dans les peupliers... Très haut, une grande migration d'oiseaux.

Berger n'est pas délivré de l'instant où il a jeté sur son dos le Russe mort. Ses épaules sont possédées par le glissement du corps : ses mains encore tremblantes, par la seconde où il les a ouvertes, où a craqué l'énorme bracelet de tournesol (entrevus, deux hérissons juste au-dessous de lui, deux écouvillons aux piquants férocement frisés par les gaz...). La pitié? pense-t-il confusément, comme lorsqu'il a

compris que les compagnies reve-
naient; il s'agit d'un élan plus obscur,
où l'angoisse et la fraternité ac-
couplent leurs démences. Jusqu'au ciel
miroitant et bleu, le coteau monte
avec son odeur retrouvée d'arbres,
l'odeur des buis et des sapins après
l'averse. Un gros insecte métallique
s'envole, éclatant, fourbi, — sans vert-
de-gris; la rumeur des paroles entendues dans la sape accompagne son
bourdon plus que le bruit marin du
vent, comme elle accompagne les
troupes qui disparaissent au tournant.

Affalé dans l'herbe, il allume une
cigarette. Infecte. Une autre : même
goût; une troisième. Il la jette : le goût
amer et douceâtre persiste. Il se précipite à contre-courant de la colonne,
toute sa force retrouvée : Intoxiqué?
En une seconde ravagée s'enchevêtrent
la sape, les gaz et la voix du professeur bourdonnante sous les étoiles de
Bolgako (la veille! la veille!). Mais
qu'est-ce que l'homme vient foutre sur

la terre! La douleur revenue le traverse du genou jusqu'au ventre, chaque fois que son pied droit porte sur le sol; sous le sifflement du vent dans les branches, il entend distinctement au fond de sa gorge son souffle déjà sifflant et mince, — soyeux...

Enragé de freiner sa course à chaque descente, un coup de fourche dans l'aine à chaque pas et ce goût implacable jusqu'au fond du nez et de la gorge, il est possédé d'une évidence péremptoire comme ce sifflement ténu dans sa gorge : il s'est occupé, crétin! d'autre chose que d'être heureux! Est-ce l'ambulance? Courir plus vite! ses jambes tournent à vide, l'univers chavire d'un coup, la forêt bondit dans le ciel.

Il n'est qu'à demi évanoui. On le porte. L'oxygène pénètre dans ses poumons : il a un masque sur le visage. Euphorie. Conscience toujours prête à disparaître. Le bonheur n'a plus d'intérêt. Tous ces types à groins, indigènes de la forêt pourrie, et les morts, pourris aussi. Le sol de la sape, avec les tarots dans un rayon de soleil bienveillant. Le bonheur est bizarre. Le reste aussi. On dit que les mourants retrouvent leur passé. Sa vie, c'est son avenir. A côté de lui, sur une civière, un officier russe gesticule : « Ne m'empoisonnez pas maintenant! pas maintenant! », repousse un masque brillant; ses cris ne couvrent pas le bruit de respiration qui monte dans la poitrine de Berger comme une sirène dans la brume — jusqu'à ce qu'il s'évanouisse tout à fait.

. . . .

II

Nouvelle crise.

Il est temps que les augures se réunissent.

Je parcourais mon bureau. Comme si la scène que je décrivais avait empli la pièce, j'ai été possédé d'une tension forcenée, j'ai tournoyé de toute ma force, me suis précipité, front en avant, sur la vitre de la bibliothèque, ai heurté l'un des montants de bois, et me suis effondré. Le montant n'a pas cédé; ai-je fait dévier la chute qui me lançait vers la vitre? Je ne me suis pas évanoui; après la commotion, j'ai inscrit, afin de ne pas l'oublier : « possession foudroyante ». Ce dont j'étais menacé ressemblait plus à la folie qu'à une maladie; le terme maladie, qu'imposerait le cancer ou la tuberculose, ne me vient pas à l'esprit devant une maladie que je ne connais pas; surtout, dont je ne *souffre* pas. Peut-être les fous ne souffrent-ils pas non plus.

Le mot : convulsion, me hante. Parce que le texte que je corrige depuis onze jours pourrait le prendre pour titre? Pourtant sa violence s'éloigne (non son égarement). J'avais envie d'ajouter à ce récit, les souvenirs qu'il appelle aujourd'hui en moi. Devant la main suspendue des gazés de la Ville de la Mort, à une heure que tous ces hommes ont tenue pour une heure de destin, je pense à la fresque de Nefertari, en face de Louxor : à l'entrée de sa tombe, la femme de Ramsès joue contre un dieu des morts invisible, dont nous ne connaissons la présence que par ses pions sur l'échiquier. Devant le vide, elle joue son immortalité.

Ma vue de l'homme (comment appeler cela autrement?) a peú changé depuis trente ans. En face de la mort, le commandant Berger donne au bonheur, un rôle outrecuidant; il est jeune, et, si je l'avais tiré de l'ambulance de Bolgako, je lui aurais donné le temps de réfléchir.

Ce n'est pas lui, qui m'intéresse : c'est la voix des profondeurs entendue dans la sape, hurlante ou étouffée par le silence de la forêt.

J'ai écrit la première partie de ce récit au camp de prisonniers, en 1940. Écrire était alors le seul moyen de continuer à vivre. Tour à tour, j'écrivais donc ce que disaient les voix de la sape, et notais ce que disaient mes compagnons de captivité.

Sous le ciel gris que striaient encore les barres obliques des réservoirs d'essence en feu, des ombres sortaient comme des prisonniers sélénites, de tuyaux gigantesques laissés là par quelque entrepreneur; les nouvelles passaient en vol de coquecigrues :

— Paraît que l'armistice est signé...
On démobilise, mais toutes les usines
de guerre seront obligées de travailler
contre les Anglais...

— Pétain a été tué par Weygand, en
plein conseil des ministres...

— Mais non! Reynaud est en Amé-
rique et Flandin a pris le pouvoir, avec
Pétain à la guerre.

— Ils ont réclamé dix-sept départe-
ments, dis donc! Encore ces vaches de
Bretons qui vont avoir le coup de veine!

Les Bretons, tenus jusqu'ici pour des
" lourds " sont l'objet de l'envie géné-
rale : comment Hitler annexerait-il la
Bretagne?

— Les autonomistes, i' d'vaient êt'
dans l'coup!

— Nous, tu crrois point qu'on pourrait s'démerrder pour devenirr autonomistes bourrguignons?

— Le commandant de la Place, il est
passé tout à l'heure. Moi je comprends
un peu l'allemand, il a dit qu'il y avait
quinze cent mille prisonniers.

Et de rire!

Des voix de plus en plus faibles reparlaient de trahison. Les visages plombés par la faim, la nuit, la barbe de huit jours, regardaient dans un silence envieux les cuisiniers improvisés qui rôtissaient leur dernier biscuit ou faisaient bouillir des soupes de sorcières. Ce qui commençait à sourdre de la foule hirsute et résignée n'était pas le bagne, mais le Moyen Age. Qu'importait le temps? Ils vivaient au jour le jour depuis des millénaires, à l'écoute de la même voix absurde et profonde.

Le soir, les coquecigrues étaient couchées.

Aux Indes, on connaît la musique du matin et la musique " qu'il faut entendre la nuit "... Le second soir, dans une masure babylonienne faite de piliers trapus, de drains et de branches, trois momies du Pérou recroquevillées, écrivaient sur leurs genoux.

Un pionnier, pas très jeune, dans la même position mais les mains croisées, regardait fixement un des piliers. Il sentit que je le regardais, tourna un peu la tête :

— Moi, j'attends que ça s'use...

— Quoi?

— Tout. J'attends que ça s'use...

C'était presque la phrase que m'avait dite la vieille paysanne, après la fosse à chars.

La nuit enfin étalée sur le camp, un prêtre ami me confia : « Au fond, croyants ou incroyants, les hommes meurent dans un mélange bien enchevêtré de crainte et d'espoir... » Le lendemain, des feux roses flamberaient dans l'aube.

Enfin, conciliabule des médecins. C'est bien la menace sur le cervelet : guérison, paralysie ou mort. Hospitalisation d'urgence.

Le chuchotement de la mort change l'aspect des routes, en direction de la Salpêtrière.

Chaque passage de vitesses répète en grinçant le mot : insolite.

Je regarde tout ce que je vois. Comme si ça devenait très intéressant. Auto-comédie? Insolite, seulement insolite — et passager. Passager toi-même.

La route de Verrières est presque sans voitures à dix heures du matin. Il y a trente ans, elle était bordée de maisons d'autrefois, et de " pavillons " de meulière dont la France possédait le navrant monopole. Les grands ensembles s'y succèdent, et les grues mécaniques, Martiens vainqueurs — comme la cité Nasser à l'assaut de la Ville des Morts du Caire, où les Cadillac frôlent au petit matin les ânes et leurs bottes de jasmin mouillées par la rosée de la nuit. Il a suffi de cinquante ans pour effacer l'Islam semblable aux champs de la Bible devant le désert éternel; pour effacer de l'Inde, l'Empire britannique. A Hong-Kong, les typhons du Sud qui s'amusaient avec les paillotes, font tourbillonner au-dessus des derniers paquebots illuminés, les échafaudages de bambous arrachés aux gratte-ciel en construction. Qu'importe Hong-Kong? Sur le chemin de la place de Grève, des condamnés souriaient aux jolies filles. Je n'ai jamais lu le nom du sentiment que j'éprouve. Disons : une angoisse différée. Qui se nourrit de tout.

Plus de fortifications. Jadis, j'ai vu celles de la " porte d'Allemagne " par où les taxis de la Marne et leurs amoncellements de spahis partirent pour traverser les haies des femmes " descendues des banlieues " sans vivats ni chants. A ma porte d'Orléans comme place Jean-Jaurès, même les H.L.M. sont insolites. Toutes les formes s'apparentent, lorsque le regard qui passe sur elles peut être le dernier.

J'entre dans le vieux Paris du Sud, qui appartient à Daumier par ses étages, et à la laideur mondiale par ses boutiques, leurs réclames et leurs affiches. L'Europe, quand j'y suis revenu pour la première fois, c'était les boutiques.

Voici la gare d'Austerlitz, le bistrot qui a remplacé le cabaret luxueux où Hortense Allart s'asseyait sur les genoux de Chateaubriand : « J'étais jeune, il me demandait de chanter des chansons légères; et après, il faisait ce qu'il voulait... » Voici la Salpêtrière, le dôme en as de pique de la chapelle. Ma voiture rebondit en passant sous le porche comme rebondit en 1944 la Mercedes blindée de la Gestapo qui me livrait à la prison de Toulouse.

Les cours, les longs édifices qui tiennent de la caserne et du monument : du passé. Puis les deux cliniques, très modernes. Dans le hall, des ombres silencieuses de Descente aux Enfers mêlées à des pyjamas de retraités, des poussettes furtives.

Ma chambre. Deux infirmières antillaises. L'une ressemble à ces nourrices noires qui ont calmé tant de peines pendant les siècles des Isles; l'autre, grande, joyeuse et belle, semble déléguée par les anges hilares du film *Verts pâturages*. Installation, robe de chambre, couloir, on me conduit à la salle d'électrologie. Dans l'ascenseur arrêté entre deux étages, une voix appelle à l'aide. Autre ascenseur. Autre couloir. D'affreuses petites voitures, des civières — l'une, avec ce bras des héros morts qui pend à travers les siècles. Silence surprenant parce qu'on attend des gémissements ou des cris. L'infirmière m'introduit. Cordialité du professeur. Appareils.

Retour. La salle d'électrologie était ripolinée, le couloir était ripoliné, ma chambre est ripolinée. Les fleurs envoyées par mes amis sont intruses dans cet univers sans bois et sans étoffes, étranger comme une planète où ne pourraient vivre que la peinture blanche, le nickel, les éprouvettes, les objets de verre, les draps — et les malades... Je ne suis pas couché depuis un quart d'heure, qu'entre un médecin ami, qui ressemble au général de Gaulle en 1940, au temps de son képi à feuilles de chêne : « — Rien n'est irréversible. » Ce qui veut dire, je suppose, que le cervelet n'est pas encore touché. Verdict de vie?

L'autre, le prononce-t-on?

... Hôpital militaire de Madrid aux premiers jours de la Révolution, cave où la lumière d'aquarium venue des soupiraux encombrés de fougères plombait les faces de Grecos des miliciens amputés; en 1945, salles préparées pour nos combattants de l'Ill et du Rhin atteints jusqu'à la ceinture de gelures B au sortir du fleuve (et qu'allait sauver le docteur Jacob grâce au sérum de Leriche conservé à Strasbourg). Tant d'hôpitaux d'Alsace et le sang partout, le sang qu'on ne voit pas ici...

Des bruits d'assiettes et de fourchettes s'affaiblissent, la nuit vient. Malgré l'insonorisation, des cris de torture que je connais car tous ressemblent à des cris d'enfants, se répondent à travers le couloir quand la porte s'ouvre. Cris des malades sombrés dans le pré-coma et qui n'éprouvent rien, dit l'infirmière : quand on les sauve, ils n'ont pas d'autre souvenir que de s'être endormis. « C'est faux, m'a dit tristement l'un des professeurs : nous ne savons guère ce qui se passe dans le pré-coma; les malades sauvés nous citent parfois des phrases que nous avons dites devant eux pendant leur catalepsie. » Pauvre infirmière! Ceux qui doivent vivre dans la rumeur des souffrances ont besoin de les ignorer.

La perfusion qui m'immobilise doit

durer onze heures. L'aiguille enfoncée dans la veine de mon bras tremblote. Plus de lumière sous ma porte; plus rien que les passages des infirmières de nuit — et, chaque fois qu'elles entrent, les cris éloignés que poussent sans le savoir ceux qui vont revivre et ceux qui ne revivront pas. Accroupies comme des Parques, l'inconscience et la mort ont pris possession de la Salpêtrière.

De nouveau, ne pas souffrir me déconcerte. La mort, dans notre esprit, se lie si fortement à la douleur, que l'homme reste stupéfait devant une maladie qui peut être mortelle, mais qui ne le torture pas : éberlué par le plus déconcertant divorce de notre temps. Elle erre dans les hôpitaux d'une façon insinuante, biologique, ignorée des combats. Ici, les malades se succèdent comme les générations sur la terre. Mais les générations, elles, ne guérissent pas.

L'importance que j'ai donnée au caractère métaphysique de la mort, m'a fait croire obsédé par le trépas. Autant croire que les biologistes voués à l'étude de la naissance cherchent des places de nourrices. La mort ne se confond pas avec mon trépas.

Le deuil disparaît, on écarte les enfants du cimetière, mais à la télévision, un jour sans meurtre serait un jour sans pain. Le trépas est lié au combat. J'ai noté autrefois la surprise de Saint-Exupéry, à qui je répondais : « Le courage physique est nourri par un sentiment d'invulnérabilité. » Je n'ai cru à la mort dans aucun combat aérien, dans aucun bombardement de mon avion par la D.C.A. *Il n'arriverait rien* — bien qu'un tir de barrage gueule comme un âne : l'avion *peut* tomber! Voir sauter sur une mine, le char qui précède le vôtre, n'est pas non plus encourageant. A Gramat, je n'ai pas cru que le peloton d'exécution allait tirer sur moi — et il n'a pas tiré, mais s'il avait reçu l'ordre de le faire, j'aurais, jusqu'au feu, cru qu'il ne tirerait pas. Quand plus tard je me suis trouvé encadré par des mortiers, j'ai cessé de raconter des blagues, mais n'ai pas cru que le prochain obus me toucherait; pourtant, les obus de mortier arrivent en miaulant de plus en plus près, comme s'ils cherchaient, et mon ceinturon venait d'être coupé par un éclat. J'ai été menacé, non par le son des balles, mais par la chute de mes compagnons touchés. J'ai subi quelques maladies graves — et attendu qu'elles finissent. Quand les anesthésistes m'ont endormi, je n'ai jamais craint de ne plus me réveiller. Dans les maladies comme dans les guerres, je n'ai pas même ressenti la stupéfaction devant la vie que je ressens aujourd'hui — bien que je l'aie parfois ressentie *après* les attaques, comme à Bône après mon atterrissage : l'enseigne du gantier, énorme main rouge au-dessus de la boutique mal éclairée dans le soir, et le chien immobile dans la vitrine du fourreur. Quant au suicide, on a suffisamment tiré sur moi pour que je puisse le faire aussi. Sans doute la peur vient-elle souvent, d'imaginer des blessures au ventre ou au sexe; je n'imagine rien. Je n'ai pas le vertige, c'est tout. Mais je vis ici avec des mourants, non avec des combattants.

La maladie ignore la trouble attirance du danger. Pour moi; car, au chevet de mon père mort...

Pendant la guerre de 1914, on le logeait souvent chez le curé, lorsqu'il revenait à l'arrière. Il avait la foi distraite de tant d'hommes de sa génération : souvenirs d'église, contagion de la foi de ma mère, déisme vague. Dans chaque nouveau presbytère, il interrogeait un nouveau curé : « Naturellement je crois en Dieu; mais nos Arabes, les Hindous, les Bouddhistes, les Juifs, y croient aussi; et si je crois en Jésus-Christ, n'est-ce pas parce que je suis allé au catéchisme? » Les réponses variaient, et ne le convainquaient pas plus que ne l'avait convaincu Pascal. Quand il s'est tué, il a laissé sur sa table de nuit un bouquin quelconque, ouvert à une page où il avait souligné la phrase : « Et qui sait ce que nous trouverons après la mort? » Dans l'ombre stoïcienne du suicide, avait glissé la curiosité de l'inconnu...

Les phénoménologies des religions n'existaient pas. La meilleure n'eût pas agi plus fortement que Pascal. Dans ce domaine, quel rôle joue la pensée? J'ai perdu la foi après ma Confirmation. Et plus tard, mon agnosticisme a moins été accompagné de méditations taries à vingt ans, que des cérémonies religieuses asiatiques, comme si le destin incarnait en spectacles, la simple interrogation de mon père. La foi des foules est pénétrante. Non qu'elle convainque, mais celle d'Asie m'imposait sa présence de Pamir, d'aube dans l'océan sans rivages, de ciel étoilé sur le désert. « Une immense bonté tombait du firmament », dit Victor Hugo, des temps bibliques. J'ai entendu l'appel qui montait des milliers de corps prosternés pour la prière dans la cour de la plus grande mosquée du monde, à Lahore; la même prière lui répondait de toutes les mosquées dressées depuis Tombouctou jusqu'aux confins du Gobi dans l'abandon solennel de l'Islam. Le même appel montait des foules en pèlerinage aux lieux où le Bouddha parlait aux gazelles, des profusions de glaïeuls jaunes inclinés ensemble par les mains jointes des femmes dans la pagode de Rangoon...

J'ai vu à Lisbonne le musée des carrosses. Pas une remise, comme celui de Versailles jadis : un vrai musée, habité par les carrosses comme Versailles par les meubles. Ils entourent une bizarre voiture noire, cabriolet pour une personne, semblable aux rickshaws qu'une toile cirée fermait naguère devant l'occupant lorsque commençait le déluge du crépuscule. L'occupant était un cercueil; ce véhicule fantôme s'appelle le carrosse de la Mort. « Toujours avec un cheval noir, monsieur », dit le gardien.

La souffrance de la Salpêtrière attend la nuit. Pendant la matinée, perfusions, piqûres, entrées de Verts-Pâturages précédée de son rire, autres infirmières qui voudraient causer en attendant le moment où je pourrai leur répondre, le lendemain, le surlendemain... Bien que je souffre peu, je suis absent, réfugié dans la fièvre. L'esprit s'abandonne au tâtonnement de la mort comme à celui du sommeil.

Lorsqu'auront cessé de tinter les verres et les fourchettes du dîner, la porte ne s'ouvrira plus que pour la visite de la surveillante de nuit. Le silence que je commence à connaître s'installe, habité de son fourmillement de plaintes, comme le silence de la forêt tropicale s'installe jusqu'au fond du clair de lune sur la rumeur des plantes et des insectes qui veillent.

Dix heures. A la désolation de l'enfant italien que j'entends tous les quarts d'heure appeler « Mamma... » au-dessus de moi, répondent les cris des oiseaux nocturnes dans la forêt siamoise, l'aube dans le hululement des singes. Les hôpitaux sont hantés, mais l'épuisement des malades s'accorde à l'invincible pacification de l'ombre. Comment les bouddhistes appellent-ils cela? Oui : la Paix de l'Abîme.

Les jours glissent. Délivré de la perfusion, je puis marcher jusqu'à la fenêtre. Dans la cour, des voitures de médecins et de visiteurs semblent gardées par quelques éclopés en promenade. N'existe-t-il plus sur la terre que des malades? Irréalité renforcée par une joviale infirmière que j'appelle intérieurement Moulinette puisque j'ignore son nom, et qui me dit : « Ah! petit coquin! » Tout ça ressemble aux rêves, que les somnifères entretiennent. Il y a aussi la réalité. On a couché un nouveau dans la chambre voisine. A six heures du soir, il a ronflé très fort. « Il faudrait le changer de chambre », me dit-on. Je réponds en bafouillant : « Si les malades ne se supportent pas entre eux, qui les supportera? » Je crois, hélas! reconnaître ces ronflements : ils vont devenir des râles. Le murmure de douleurs s'établit peu à peu dans le silence de la nuit; ces râles le scandent, réguliers et calmes.

Comment peut-on *s'habituer* à une attente intolérable? Pendant douze jours, j'ai attendu la décision des médecins; depuis que je suis ici, j'attends, en griffonnant des notes illisibles, l'effet du traitement, ou son échec. Si je dois mourir cette fois, mourir aura-t-il consisté à attendre? Nous pensons aux maladies comme à des drames; certaines sont des somnolences — des somnolences dont on ne s'éveille pas.

L'inconscient est un collaborateur attentif. Je corrige ma phrase, car j'avais écrit seulement : si je meurs — comme si la mort était une hypothèse.

Les draps chauds de la fièvre diurne mêlent tout. Pour échapper au murmure des plaintes, je tente de soumettre ces images à une chancelante chronologie. L'été qui s'approche, avec les hannetons, le long d'un rideau d'acacias; la première odeur de la mer invisible, la peur des Romanichels; le soir où se mêlent la découverte du château de Versailles, et une musaraigne, menu kangourou, qui a sauté sur la route de forêt pour fuir la petite auto de mon père; mon retour de la maison des Ardennes vers la gare de Rethel : bestiaux endormis debout dans la nuit d'août 1914, champs balayés par un escadron de lanciers dont les lances luisent. La neige dans laquelle le train fut arrêté toute la nuit, au début de la bataille de Verdun; la silhouette rencontrée dans une bouche de métro, qui me dit au passage, comme un mot de passe : l'armistice est signé!

Fin d'été 1939. A Montpellier, sur la place de l'Œuf, la ronde des annonces lumineuses poursuit la marche circulaire des promeneurs de plus en plus nombreux. On vient de lire l'annonce du pacte germano-soviétique. L'odeur de l'été roux traverse la place. La Mort écrit en mots qui passent comme des rangs de lucioles sous les étoiles intruses, chassés par d'autres lettres lumineuses : LE REICH EXIGE POUR LES COLONIES FRANÇAISES ET ANGLAISES, UNE FORMULE DE CONDOMINIUM. La guerre de France est là.

La retraite à travers les dahlias et les dernières glycines, tout le ciel rayé par les traînées des réser-

voirs en flammes; les cahots assour-
dis du dernier train qui s'éloigne :
vous se-rez-pri-son-niers, vous se-rez-
pri-son-niers...

L'aube quotidienne sur les feux, les
tuyaux géants et les barbelés du camp.
Le jour de mon évasion, tous les arbres
menaçants comme si leurs troncs ca-
chaient des Allemands, mes souliers
trop petits devenus des brodequins de
torture, le film sur la prise de Varsovie,
au cinéma dans l'obscurité duquel je
me réfugie entre deux trains : l'écra-
sant bouillonnement de fumée devient,
traversé par l'avion, une mer de nuages
sereine — sous laquelle les villes
flambent et les routes s'emplissent de
fuyards lancés depuis des siècles...

Le chat qui me suit à la lisière de la
forêt, intriguant les sentinelles allemandes, pendant que je passe la ligne
de démarcation pour l'anniversaire de
ma quarantième année...

Roquebrune, le bruit des petits sabots
de mon fils dans le jardin aux arbres

de Judée en fleur (et je pensais que j'entendrais ainsi les battements de mon cœur quand je mourrais).

Revoit-on réellement sa vie quand un accident fait perdre connaissance? Marcel Arland m'a dit avoir rencontré ce film vertigineux. Je ne l'ai rencontré ni dans les combats d'avions, ni devant le peloton d'exécution de Gramat. Y faut-il le spasme (Arland avait failli se noyer)? Je provoque une confuse autodéfense, et le sais. Pour ces *Antimémoires*, j'ai pris depuis quelques années l'habitude d'accueillir, de saisir, les images d'autrefois. Celles qui se succèdent ici se hèlent, biographie aussi fausse que les autres. Se dirigent-elles vers la guerre à cause du râle qui continue au-dessus de moi? Voici de nouveau le tourbillonnement des lanciers auprès des bestiaux endormis. L'imagerie tourne comme les chevaux de bois espagnols abandonnés continuaient leur chevauchée en musique dans la solitude du bombardement. Le râle, dont les plaintes sont maintenant moins fréquentes, pense pour moi. Je me souviens des siestes mortes de la guerre civile, du grand froid de l'Èbre, d'une chèvre, affolée par un bombardement, qui faisait tourner le tambour de la Banque d'Espagne en le poussant de la tête — d'un retour de mission sur Teruel, guidé par la lueur bleue des feux d'oranges, avec un des pilotes tué, et le soleil levant sur la gueule du mitrailleur de cuve. Quel souvenir marmonne la phrase de Napoléon « Le courage le plus pénible est celui de trois heures du matin »? Aérodromes de la fin de la nuit avant le départ des bombardiers, et, des années plus tard, nous tous collés aux champs de Dannemarie, dans le givre que rougissent vaguement des fermes qui flambent.

Du moins sais-je d'où viennent ces images-ci : trois heures sonnent.

Quelquefois paraît l'esprit, qui tâtonne. Mais le frôlement de la mort n'appelle pas l'examen; il le chasse. Hommes et femmes qui parlent de leur vie, ici, disent qu' « ils ont eu de la chance » ou non. Que serait un examen qui ne serait pas " de conscience? " D'étonnement?! Là où rôde la mort, l'étonnement ne s'adresse qu'à elle. Je pense à ceux qui m'ont parlé de leur vie en feignant de s'adresser à moi, car ils s'adressaient d'abord à eux-mêmes. Mon père, peu de temps avant son suicide : « Si je dois avoir une autre vie, je n'en veux pas d'autre que la mienne. » Drieu, par lettre. Surtout Méry, lorsqu'il évoquait le cortège de ses femmes. Depuis, une star m'a dit : « Vous ne vous imaginez pas ce qu'est pour la plupart des femmes, le souvenir du premier amant! Et ceux-là, ils ne crèvent jamais! »

Dans la nuit de Singapour qui sentait l'asphalte, le poivre et la Chine, la très haute silhouette du centurion dé-

sabusé jouait avec l'enfant cambod-
gien, qui jouait avec le chat Essuie-
Plume... Il disait, de la rue de la Mort :
« Avant qu'elle ou moi disparaisse... »
On l'a détruite. Il disait, et je devinais
à sa voix qu'il souriait dans l'ombre :
« Je me hâte patiemment vers la mort...
Oh non, je n'ai vraiment pas envie
de rempiler... »

Il me parlait de l'orchestre militaire qui jouait Verdi au crépuscule
dans le square de Pnom-Penh, pour
les Pierrots français de toile blanche
et les Pierrettes de mousselines impri-
mées, — au temps des colonies. (Depuis, à Pnom-Penh, il y a eu le discours
du général de Gaulle.) Et de la fin de
l'Indochine : « C'était le temps du
Bonze Fou, créateur des Hoa-Hao...
Le temps du riz jeté au vent pour les
âmes errantes... » Le pas d'une infirmière dans le couloir de la Salpêtrière
se mêle aux ventouses des pieds nus
sur les dalles de la veranda, pendant
la saison des pluies. Avec une amer-

tume lasse, Méry parlait des femmes qu'il avait aimées; sa voix lente et offerte faisait passer le cortège millénaire de la dérision dans la nuit malaise, où aboyait un seul chien. « Je voudrais confier à la mort, qui n'est pas loin : quelle chance a l'humanité, de ne rien comprendre à rien! »

Comprendre quoi? répond la mort qui m'entoure. Nous ne mettons pas en question notre identité. « Le moi, ce monstre incomparable et fuyant que chacun choie dans son cœur », ai-je écrit dans *La Condition humaine*, il y a quarante ans...

Le murmure de plaintes reprend (reprend-il à la même heure dans tous les hôpitaux du monde?).

Nous appelons maladies mortelles les maladies dont on meurt; comment appeler celles dont on pourrait mourir? Une maladie qui n'a de nom que pour les médecins semble une énigme, quand elle échappe à la souffrance qui a un nom pour tout le monde. En face de cette menace informe, mon sentiment le plus constant est la stupéfaction. Car dans ce lieu hanté de douleur, je ne souffre toujours pas. Une soudaine grippe de Hong-Kong, intruse comme les chats dans les cimetières, est venue fausser les observations. Appuyé sur une canne, je puis marcher jusqu'à l'extrémité du couloir, dont la fenêtre domine la cour. Autour des voitures, les malades, en groupe pour la première fois. Je les avais entrevus à mon arrivée, et je ne pénètre dans la salle d'électrologie qu'en longeant des petites voitures, et des civières au bras pendant. Il y a sept ans, — sept ans — aucun de nous ne fût sorti valide. En bas, errent des pyjamas avec canne, poussette ou patte-folle, et, lorsque l'éclopé se retourne, le visage de la maladie.

C'est notre rue de la Mort. Pyjamas rayés, ombres des camps d'extermination délivrés en 1945. L'ennemi n'est pas le Reich éphémère, c'est la paralysie aussi vieille que l'homme.

Donc, évidemment, le suicide.

En Espagne, à Gramat, sur le Rhin, la mort a été plus proche. Elle n'appartenait qu'au destin; celle-ci m'appartient aussi. Décollage de l'avion, saut en parachute « Hop! on verra bien! »; avec la même insaisissable chance, à laquelle on croit dur comme fer : l'atterrissage, et ici, la guérison.

Ou non.

Ce qu'on écrit du suicide m'a toujours surpris. Le besoin saugrenu d'en faire une faute, ou une valeur. L'homme, né pour la mort, est né pour se la donner s'il le décide. Je veux bien que la vie des autres soit sacrée (elle l'est si peu!); pas la mienne. L'un de mes personnages de *La Voie royale* disait la phrase d'un aventurier fameux en Indochine : « Il n'y a pas la mort, il y a moi — moi, qui vais mourir... » La valeur du moi est en baisse.

La mort par la ciguë était un privilège; Socrate n'a pas souffert. Nous connaissons fort bien la ciguë, les ciguës. Les textes antiques déclarent indolores certaines d'entre elles. Quel spécialiste occidental a étudié leur action? Des analyses devenues aussi simples que celles qui isolèrent la morphine donneraient à l'homme la maîtrise de sa vie.

A condition de lui tendre la mort. C'est trop cher.

Je n'oublie pas la perplexité de Méry : « Est-il possible que dans aucune civilisation, aucune! les hommes n'aient décidé de choisir leur mort... Comme si ne pas choisir de naître ne suffisait pas! » Alors que le courage est commun dans les civilisations militaires, l'était à la Légion étrangère, à Verdun, à Stalingrad. Mais tout courage s'éclaire de la lueur rouge des loteries. L'irrémédiable n'est pas une loterie.

Est-ce bien sûr? Et le livre que parcourait mon père?

« Toujours la mort, disait Méry, mais pas toujours la même... » La lune védique se reflétait dans le petit bassin du patio; des femmes en robe du soir traversaient la lumière. De ce qu'il appelait sa destinée, il parlait surtout avec étonnement. Il y a cinq ans. Il est mort.

« Si tu es un chevalier, meurs comme un chevalier! » ordonne la *Baghavad*. La vie cosmique de l'hindouïsme néglige assez la vie individuelle pour cacher la mort sous le devoir d'État. La chrétienté, bien que la mort appelle pour elle le Jugement dernier, l'a sereinement accordée aux " métiers dangereux ". Ses chevaliers n'étaient pas moins intrépides que les kchatrya. Ni que les plébéiens de l'an II, ou les bolcheviks d'Octobre : le devoir d'État se réincarne. Pour moi, le droit au suicide appartient au droit d'État — au devoir d'État? Et puis, comment faire du suicide, un monde! quand on a passé vingt mois en choyant un cyanure *sauveur?*

Les médecins de cet hôpital tiennent pour hypothèse de travail, que nous conservons à l'intérieur de notre cerveau, un cerveau préhominien, héritage de quelque plésiosaure; un seul de nos deux cerveaux accepte la mort. Il est vrai que nous parlons du suicide avec une intelligence de sauriens. Mais l'hostilité qu'il inspire est souvent accompagnée de solidarité inconsciente avec le malheur. Comme si le suicide trahissait tous les infirmes, les amputés, tous les malheureux qui ne se sont pas tués. La communion, comme le courage, a ses heures. Cette nuit, je serai moins ferme et beaucoup moins lucide. Plésiosaure ou pas, je sais ce que je penserai si je pense à ces pauvres clochards de la vie, car je sais que je n'oserais pas me tuer devant eux.

Retour de la grippe. D'abord 40°; puis la fièvre baisse, je m'enveloppe dans sa chaleur et la rêverie. De nouveau Singapour, la brume, le chien qui aboie. « Qu'ai-je à faire avec cet enfant en capuchon? » et l'enfant cambodgien qui caresse Essuie-Plume. Et moi, qu'ai-je à faire avec... quoi? Ma mémoire ne s'applique jamais à moi sans effort. J'ai lu ce qui concerne mes livres, non ce qui me concerne. Je ne me souviens pas de mon enfance. Pas même, sauf attention délibérée, des femmes que j'ai aimées ou cru aimer, de mes amis morts. Retrouverais-je, en m'y appliquant, trois de mes anniversaires? Étudierai-je un jour (si un jour vient...) les mécanismes de la mémoire, qui m'intriguent depuis longtemps? La psychanalyse n'en retient que le contenu; pourtant, l'aptitude aux souvenirs heureux n'oriente pas l'homme vers le même pôle que celle aux souvenirs ennemis. Freud a-t-il jamais écrit le mot bonheur? Quand je pourrai m'adresser à mes compagnons de maladie, je leur demanderai si leurs souvenirs sont souvent liés aux éléments : nuages, courants de rivières, nuit. Le soir anniversaire de mes dix-sept ans, je passe sur le pont du Châtelet, et l'émotion de l'*Orestie* que je viens de découvrir au théâtre dans la version de Leconte de Lisle se mêle au crépuscule derrière les tours noires du Trocadéro... Ou si ces souvenirs sont liés à ce qui appartient à *la* vie autant qu'à la nôtre. « Mes souvenirs sont groupés par la chaleur et par le froid », m'a dit Hemingway.

Pendant la nouvelle consultation des médecins, à la salle de radiologie, je regardais les illustrations d'une étude sur moi. Mes photos d'enfant, de collégien, de soldat, de ministre, de passant expriment moins encore ma vie, que la succession de ceux qui m'y accompagnent. Le chat noir qui me suivait à l'orée du bois ne succède pas aux tours noires du Trocadéro dans le crépuscule, ni même à mon évasion. La montagne qui sépare les deux versants de la Malaisie déployés jusqu'à l'océan Indien et jusqu'au Pacifique ne succède pas à mon souvenir de l'Himalaya perdu dans la brume qui cachait la chaîne supérieure; les coolies malais ne succèdent pas aux porteuses tibétaines, langue tirée en signe de bienvenue, sur le quai de la petite gare. Des images ne composent pas une biographie, des événements non plus. C'est l'illusion narrative, le travail biographique, qui créent la biographie. Qu'a fixé Stendhal, sinon des moments de la sienne? Chacun articule son passé pour un interlocuteur insaisissable : Dieu, dans la confession; la postérité, dans la littérature. On n'a de biographie que pour les autres. J'ai commencé à me souvenir en 1941, devant le feu de ma maison de Roquebrune; il y avait longtemps que je n'avais pas vu flamber des bûches dans une cheminée, et je pensais : est-ce l'âge qui frappe à la porte pour la première fois? Les images, ici, s'ordonnent par analogies, lances des Ardennes et de Djibouti, aveugles de Montmartre et de la nuit espagnole, chien de Bône dans sa vitrine et chat qui m'accompagnait vers la ligne de démarcation — feux où gesticulaient les ombres sur les champs de la Résistance, et tant d'aérodromes dans l'aube...

J'entends une fois de plus, au-dessus de moi, le cri : « Mamma! » Les plaintes de la chambre voisine sont devenues plus élevées, distinctes de celles qui les accompagnent. Plus d'erreur possible : ce sont des râles.

Moi. Inexplicablement, ce personnage, qui parfois m'obsède, ne m'intéresse pas ici. Mon corps aux cellules provisoires est le mien, et si je m'empoisonne, ce n'est pas un autre qui mourra; pourtant, un monde comme le nôtre, et où le divorce est répandu, suggère la discontinuité plus que la continuité de l'individu. « J'ai admiré Goethe, disait Méry; je ne crois plus trop que l'accident se transforme en expérience; ni que je porte le moindre intérêt à l'insupportable adolescent à capuchon que j'ai été... » Reste qu'il se souvenait de cet adolescent, d'une façon qui n'appartenait qu'à lui. Mon passé m'encombre. Le jour anniversaire de ma quarantième année (lorsque je passais clandestinement la ligne de démarcation avec le chat noir), j'aurais voulu être né la veille. Notre civilisation, où l'instant devient roi, traite le passé comme le fait la mort. L'homme. L'Homme, ce sont les voix des prisonniers français du camp, les voix des soldats allemands dans la sape. Et qu'est-ce qu'un passé qui n'est pas une biographie? Une conscience d'exister, plus profonde que la conscience, et que je ne tiens pas pour une connaissance?

J'ai relu la mort d'Antoine dans *Les Thibault.* Roger Martin du Gard, fort soucieux de documentation, a vécu parmi les médecins. Longtemps, Antoine espère guérir. Ses sentiments m'étonnent. Devra-t-on parler, si je meurs ici, d'une mort singulière? Je ne rencontre pas plus le bilan de la vie, que le vertigineux passé de la noyade. Aucun attendrissement pour · ce qui doit disparaître avec moi. Peu de souvenirs de sentiments, même d'amour. Pas de litanie des « jamais plus ». Une grande rapidité du passé; à peine une durée. Des images, pas d'événements, sauf si je les recherche. Une conscience sans mémoire. Indifférence à l'idée de devoir fixer un moment au suicide (« Se dire : ce soir... », note anxieusement Antoine, qui se suicidera). On peut penser à loisir au suicide, je sais; les patriciens romains condamnés ne se hâtaient pas. Socrate se fût-il montré moins patient, s'il avait lui-même appelé la mort — qu'il a au moins acceptée? On peut aussi se tuer au plus tôt.

J'ai écrit : « Qu'importe ce qui n'importe qu'à moi? » L'égoïsme ne nous mène qu'à nous préférer, avec une véhémence confuse. Ai-je beaucoup pensé à moi? L'auto-approbation n'en demande pas tant. Le contraire non plus, après tout : l'homme ne se juge guère. Je ne commencerai pas cette nuit. « Connaître les hommes pour agir sur eux » fait partie des balivernes. Se connaître soi-même? Les décisions capitales sont des lapins qu'on tire au passage; mieux vaut savoir tirer. Nous sommes habités par des monstres banals. Nous appelons méditation une pensée qui n'a pas l'action pour objet, et ce mot n'est pas loin d'oraison. Après quoi " philosopher, c'est apprendre à mourir ". Phrase ambitieuse, à la Salpêtrière. Sa grave résonance ne répond pas à « Qui suis-je ? » mais à « Qu'est-ce qu'une vie ? »

Le râle a repris.

Je ne sais rien de mon voisin : un homme. Une vie inconnue. Sauf pour lui. Et même ? C'est Jean-Jacques, je crois, qui osa emplir de sa propre vie et de sa découverte de " la nature " (« J'ai découvert les papillons et la nature à l'approche de la mort », m'a dit Méry) la grève mise à nu par le reflux de la vie universelle, que le Christ emportait avec lui. Je sais ce qu'un artiste peut tirer du dialogue sans fin du soleil et de l'océan ; je sais ce que signifient la course des ombres autour des crémations, les cendres qui descendent le Gange nocturne entre les reflets bleus et rouges. Je sais, Rousseau, ce qu'un grand esprit peut tirer d'un herbier; et aussi qu'un moine zen tente de deviner, à défaut de la voir, la poussée d'un brin d'herbe. Mais à l'heure où s'éveille la ville avec le crissement faible et profond du gravier dans les golfes, la plus forte voix n'est pas celle de la mort qui m'entoure et que je porte en moi, c'est le mystère de la vie sous lequel les hommes se consument ou passent comme Varsovie en flammes s'éteignait, dans le film, recouverte par la sérénité blanche de la mer de nuages. La conscience de ma vie suspendue est une réponse péremptoire et informe, comme la conscience de l'équilibre révélée par l'instant où nous la perdons. L'ultime conscience n'a rien de commun avec le souvenir de nos actes ni la découverte de nos secrets. On n'est pas son histoire pour soi-même. L'Asie a maintes fois pressenti que le problème capital de l'homme est de saisir " autre chose ". Les bûchers nocturnes reflétés par le

Gange dans l'attente du destin, comme nos feux de maquis dans l'attente des avions de Londres, le Bouddha rendu phosphorescent par l'Illumination, et au-dessus de qui pivote le vol en fer de lance des oiseaux migrateurs... La mort me chuchote, aujourd'hui comme au retour de la fosse à chars d'assaut, que le secret de notre vie ne serait pas moins poignant, si l'homme était immortel.

L'infirmière entre, seringue de Pravaz en main : « N'ayez pas peur! » Rire inutile; je ne sens plus les piqûres. Ces mots font sans doute partie du métier. Elle part. Les bruits de la douleur montent avec le jour. Dès mon départ de Verrières, les rues étaient devenues insolites; infirmières, médecins le sont comme les plantes laissées devant ma fenêtre malgré le règlement. Il y a des cyclamens, et j'aime leurs pétales charnus comme j'aime les champignons. Quel Japonais m'a dit : « Si vous regardiez les fleurs de la même façon que vous regardez les chats, vous comprendriez honorablement la Vie. » C'est elle, qui est insolite; et quand tournent les chevaux de bois des souvenirs, c'est la mienne. Mon chat se précipitait à travers le salon, s'arrêtait, pattes tendues, se léchait minutieusement : il avait changé d'avis. Rêves de chats, destins de plantes... Chaque forme de la vie est insolite pour les autres comme la route de Verrières, mais toutes à la fois sont insolites pour... pour qui, pour quoi? Les religions sont-elles nées afin d'apporter aux hommes, des dieux pour lesquels ils ne soient pas insolites?

Au " conte plein de bruit et de fureur, dit par un idiot, et ne signifiant rien " de Shakespeare, le misérable petit tas de secrets n'aura pas longtemps imposé sa signification dérisoire. « Que signifie la vie? » est la plus tenace interrogation. Je pense à Bénarès, au général de Gaulle. Il est mort, maintenant... Devant la neige qui recouvrait les champs de saint Bernard, j'avais dit, et il avait redit avec lenteur : « Pourquoi faudrait-il que la vie ait un sens? »

La proximité des agonies submerge le « Que suis-je? », le rend oiseux. Serait-ce faux d'une agonie solitaire? Ce tourisme dans l'archipel de la mort ignore toute suite d'événements, laisse seule à nu la conscience la plus informe et la plus intense, la convulsive « Je suis ». Mais pas au-delà de l'autre question : qu'est l'aventure humaine? La neige de Colombey, la neige de la Vézère... Pendant l'hiver de 1943, entre les Eyzies illustres et Lascaux inconnue où nos armes étaient cachées, je me suis demandé, en rêvant des troupeaux de rennes au loin dans la neige préhistorique, si l'homme est né lorsque pour la première fois, devant un cadavre, il a chuchoté : « Pourquoi? » Il s'est beaucoup répété depuis. Inépuisable bête.

On frappe. Un inconnu entre sans attendre la réponse. Une souris blanche aux cheveux blancs.

— Monsieur, je m'excuse si je vous dérange... Je sais que vous êtes très instruit, et puis, vous... on vous cache moins les choses... Je suis votre nouveau voisin, j'ai pensé que nous pourrions peut-être... Enfin, voilà : on meurt beaucoup, ici.

Je réponds, non sans malaise :

— Plus maintenant...

— Ah, vous croyez, plus maintenant? Plus maintenant... Je ne veux pas vous déranger... Je m'en vais...

Il salue, par petites saccades.

— En tout cas, pour moi, si jamais... enfin... si jamais, on peut être sûr que je saurai me tenir : je n'importunerai personne. Merci, monsieur. Je crois que vous m'avez un peu rassuré...

On m'a envoyé un joli chat artificiel, qui miaule lorsqu'on presse son ventre.

Il s'appelle Fourrure. Les Antillaises viennent le caresser, enchantées de voir un chat dans la clinique, même faux. Sa présence me fait penser aux types de la Gestapo qui jouaient à saute-mouton sous les voûtes de la prison de Toulouse. Mais ce pauvre Fourrure me protège mal. La remontée verticale de la température tient-elle à ma " fièvre de Hong-Kong " épisodique et intense, ou à une rechute? Emprisonné par elle, je rôde de souvenir en souvenir et vois le chat artificiel rôder de meuble en meuble. Des images d'Espagne recommencent à tourbillonner dans les chansons et dans la défaite. J'ai revu à Madrid cette fille que j'aimais en Sibérie quand les lumières des usines soviétiques s'allumaient au ras des steppes comme l'espoir du monde. Mao, aussi puissant et massif que l'absurde colonne égyptienne du palais du Peuple contre laquelle il s'appuie, son infirmière derrière lui. La guerre de jadis : un vieillard chancelant comme l'Empire chinois s'enfuit sous les bombes en serrant contre lui la cage de son grillon. Dans la cour d'un restaurant, un bananier brille au-dessus d'un corail transparent comme un énorme pêcher fleuri : les carapaces amoncelées des langoustines. Une cloche sonne. (La chapelle de la Salpêtrière n'est-elle pas désaffectée?) Comment sonnait la première cloche, dans son campanile de bois mérovingien? Où sonnera la dernière? Devant les cadavres aux dos hérissés de vertèbres d'un camp d'extermination, un survivant interrogé par un journaliste gratte sa tenue qui ressemble au pyjama de nos malades, et répond avec la voix qui lui reste : « Il ne peut plus y avoir de place dans notre cœur que pour le pardon, voyez-vous... » Des trains sous la pluie. L'inscription d'Assourbanipal : « Voix des hommes, cris du bétail petit et grand, cris d'allégresse, je les fis cesser dans les campagnes où s'établirent enfin les animaux sauvages. » Animaux sauvages — je connais la région de Babylone — en troupeaux sur le sable du désert qui murmure comme celui des sabliers, comme murmure maintenant la douleur autour de moi. La nuit vient. Rumeur, tintements de couverts, plaintes s'approchent : vers les maquis investis, les bruits nocturnes se levaient avec les cris des animaux réveillés, aboiements de l'invisible guerre et approche de l'invisible ennemi. Tête de Moulinette, rire de Verts-Pâturages.

Je m'éveille. La nuit est venue... « Ne me faites pas mal! » crie mon pauvre voisin que l'infirmière ne parvient pas à rassurer. On m'a laissé dormir. Souvent, je descends insensiblement dans le sommeil. Bien que je souffre toujours peu, j'éprouve un déséquilibre enveloppant, prêt à se rompre, comme si j'allais vomir. On a laissé dans la salle de bains les comprimés que je dois prendre. Je vais les chercher sans allumer, reviens vers mon lit, très haut comme tous ceux des cliniques. Je tâtonne le long du mur. Plus d'interrupteur. Je m'affaisse dans le brouillard noir, sans douleur, jambes en chiffons, fraîcheur. Tombé sur les dalles? Le lit devrait être en face. Je ne puis me relever. Ni bouger. Je n'ondule pas seulement dans l'obscurité comme un noyé, je ne sais où je me trouve. Il n'y a pas de directions. Rien de plus inexprimable qu'une sensation inconnue. Nous possédons nos quatre directions comme nos membres; mon corps a disparu avec elles : plus de corps, plus de " je ", rien qui m'entoure, une conscience angoissée qui ne suggère pas l'approche de la mort, bien qu'elle ne soit pas conscience de la vie habituelle. L'obscurité dérive. Je parviens à me retourner, à m'appuyer sur les bras pour avancer vers le lit. M'accrocher aux draps, trouver l'interrupteur ou le bouton d'appel? J'ai avancé d'un mètre;

ma main touche une paroi. Ce n'est pas le lit, mais un mur — qui bouge. « Attraction » de Luna-Park, jadis : enfant calé dans un fauteuil, je voyais la petite salle s'ébranler, tourner de bas en haut autour de moi. Plus tard, de façon plus menaçante, quand l'avion qui tombe, au sortir des nuages, découvre la terre oblique. Est-ce une crise? De quoi?

Voici le lit. Il a beaucoup diminué. Très dur. Un objet en tombe, se brise. Pourquoi a-t-on posé des objets de verre sur mon lit? Et qu'il est étroit! Ne pas tomber.

Ai-je perdu connaissance? Avant mon arrivée à la clinique, lorsque je tombais, je restais conscient. L'obscurité ne tourne plus. J'émerge insensiblement. Ce n'est pas mon lit. Je puis poser les pieds sur les dalles fraîches, longer la chose sur laquelle j'étais couché; je retrouve l'obscurité sans formes et toujours sans directions, où mon poids me colle au sol. Ma main

gauche atteint une paroi, je m'age-
nouille. Je ne sais où je suis, mais les
dalles me font mal aux genoux, et la
paroi est certainement un mur. J'essaie de me dresser, y parviens la troisième fois, rencontre un autre mur.
Toujours pas de lit. Serais-je aveugle?
L'obscurité est épaisse, mais, par
bonheur, inégale... A tâtons vers la
gauche. Un meuble : c'est la table de
chevet, une lampe tombe. Je touche le
lit — le commutateur!

Voici la chambre ripolinée, les fleurs
devant la fenêtre. J'ai marché vers la
droite en croyant marcher devant
moi. Je me suis pelotonné sur une table
basse. Surface plane. Voici mon vrai
lit. Dans lequel mon prédécesseur est
peut-être mort, dans lequel la maladie
attendra mon successeur. Quitté depuis vingt-cinq minutes, dit la pendu-
lette.

Et les comprimés? Le flacon brille au
pied du mur, dans le coin opposé. J'ai
fait le tour de la chambre. Pendant

141

mon évanouissement? Je ne me souviens pas de m'être *évanoui*. S'en souvient-on? Je pense à ce que le professeur m'a dit, de ses malades sauvés du pré-coma. Ces vingt-cinq minutes de vie somnambule sous la menace de mort ne me troublent pas comme une syncope, mais comme une possession. Syncope ne veut rien dire pour moi : je me suis évanoui une seule fois, à douze ans. S'évanouir, comme être endormi pour une opération, suggère le sommeil; avant de m'allonger sur la table, je ne dormais pas, loin de là...

Dans le couloir, les cris ont repris.

J'ai donc fait le tour de la chambre... J'ai toujours lié le sentiment de la mort à l'agonie, et suis stupéfié par cette angoisse où je ne distingue que la menace inconnue de me retrouver amputé de la terre.

Ni douleur, ni mémoire, ni amnésie — ni dissolution. Perte de conscience, pas de toute conscience. Je me croyais dans une autre partie de la chambre, mais quelque part; je ne comprenais pas ce qu'était devenu mon lit, mais je tentais de m'y allonger, de m'installer dans ma litière : essayons de dormir, je comprendrai demain matin. Je me souviens de mon effort. Conçoit-on Lazare se souvenant d'efforts pour s'accommoder de son tombeau?

Sans en avoir conscience, sinon par le souvenir, j'ai vécu ce que je pressens depuis mon arrivée à la Salpêtrière : un je-sans-moi; une vie sans identité. Le fou s'en prête une. Perdre son identité suggère tout perdre; je ne me dissolvais nullement, parce que ma conscience s'était réfugiée dans mon effort. Une conscience animale? Un somnambule conscient seulement de sa tension pour atteindre le toit, et qui en eût gardé la mémoire?

L'homme, ai-je dit, c'est ce dont les voix emplissaient la sape et le camp de prisonniers. On a proclamé : l'homme, ce sont ses fantasmes, ses pulsions, ses désirs cachés. J'ai envie d'écrire : c'est

143

ce qui se construit sur cette conscience véhémente d'exister, seulement d'exister, mais n'est-elle pas liée à l'homme comme le socle à la statue? Pourquoi m'intéresser à cet être d'amibe? Pour ce qu'il a de commun avec moi, avec le moi du rêve et le fou : la conscience de l'effort.

Ce qui me fascine dans mon aventure, c'est la marche sur le mur entre la vie et les grandes profondeurs annonciatrices de la mort. C'est aussi le souvenir de ces profondeurs. « Les réanimés ne se souviennent de rien » (de rien, mais de conversations entre les médecins!). La rencontre avec la part de l'homme qui marche, geint ou hurle quand la conscience n'est pas là.

J'ai été conscient de ne plus savoir où j'étais —, d'avoir perdu la terre. Pas d'autre douleur que celle des autres, qui bat confusément cette chambre blanche où veille la petite lampe de la nuit comme, dans ma chambre de Bombay, la rumeur de l'Océan battait la grève. Je suis lucide, d'une lucidité limitée au ressassement d'une terre de nulle part, à la stupéfaction devant un état ignoré. Ce qui s'est passé n'a rien de commun avec ce que j'appelais mourir.

D'où vient ce remue-ménage assourdi? Je ne pressens pas encore le gris de l'aube. Aucun bruit de couverts; les bruits semblent d'ailleurs venir du sol, et je reconnais le pas alourdi des infirmiers qui emportent les malades à la salle d'électrologie. Ils s'éloignent, et la porte de la chambre contiguë bat sourdement le silence. Je n'entends plus les hautes plaintes. Les infirmiers ne sont pas partis pour la salle d'électrologie : mon voisin est mort.

Le vrai jour m'éveille. Je me souviens d'une réalité, nullement d'un cauchemar. Pourtant les souvenirs prennent vie par ce qui leur ressemble, et cette crise ne ressemble à aucune autre. J'ai échappé aux directions. Comme dans mon bureau; mais je reviens de terribles limbes, non du vide. Et de l'informulable, non de décombres. Rien de commun avec le haschisch et son tournoiement de grandes ailes. Ni avec le sommeil des tables d'opération. Je reviens d'une sensation inconnue comme la première sensation sexuelle, comme le goût de l'eau lorsque à Tachkent, enragé par la soif, j'ai entendu ma langue cornée frapper mon palais avec le son d'un petit morceau de bois.

Je continue à noter ce qui m'est arrivé. Ce que m'a dit aux Indes mon ami Raja Rao, l'écrivain qui fut mon interprète auprès de Nehru.

« Les Occidentaux, et pas seulement eux, croient qu'il existe une chambre : la vie, une autre : l'au-delà, et que la mort est la porte par laquelle on passe de l'une dans l'autre, n'est-ce pas? Pourquoi dramatisent-ils la porte? La mort est le chemin vers la lumière... On le sait quand on est revenu — enfin,

146

n'est-ce pas, revenu de quelque chose qui lui ressemble... Mon gourou entrait dans l'extase pour plusieurs heures, et revenait. Le Bouddha connut l'Illumination bien avant de disparaître en elle. On peut choisir sa mort. Indirectement : Gandhi avait annoncé qu'il serait assassiné. Ou même directement. Vous a-t-on raconté, en Europe, cette histoire : la police arrête une bande de voleurs de grand chemin. Un des leurs ne ressemble pas aux autres. Il impressionne tellement les policiers, n'est-ce pas, qu'on fait surélever le mur qui entoure sa cellule. Après des mois, arrive un jeune homme, avec des quantités de protections. Il demande à voir le prisonnier. On les mène au parloir, séparés par une grille, comme chez vous, je crois. Le jeune se prosterne. « — Relève-toi! Pourquoi es-tu venu si tard? » Il y a des explications, des questions du jeune. Les voix deviennent basses; les gardiens entendent des noms divins, s'écartent.

147

« Il a été dur d'attendre si longtemps...
Maintenant, va! » Le jeune part en
hâte. Les gardiens viennent rechercher
son interlocuteur : il est mort.

« On a repris l'instruction, les inter-
rogatoires, que sais-je? Ce faux bandit
connaissait le sanscrit.

— Pourquoi vous a-t-on trouvé avec
les autres?

— J'avais fait route avec eux vers la
ville. Ils m'avaient dit : " Reste avec
nous. Nous avons besoin de toi. " Je
suis resté.

— Pourquoi?

— Qu'importait? »

« Rien n'avait eu d'importance, jusqu'à ce qu'il s'agît de faire attendre
la mort : il attendait le jeune visiteur
pour mourir. »

Encore ce « Qu'importe » obsédant!
Lors de cette conversation, je n'avais
aucune expérience de l'approche de
l'inconnu. Aujourd'hui je suis moins
frappé du récit, que de la familiarité

de mon ami avec des états psy-
chiques apparentés à celui que je viens
d'éprouver — de sa domestication de la
mort, que l'Inde doit peut-être à la
métempsycose.

La fièvre ne chassera la lucidité qu'à
cinq heures.

III

Toute sensation que l'on vient de découvrir encombre la mémoire. Mon vertige m'obsède. Je ne connais pas le vrai vertige. L'expression : perdre pied de la vie, ne me quitte pas, liée à une glissade sur l'aile — celle de l'avion que l'air ne soutient plus. Je pesais fortement sur un sol magnétique; je me suis souvenu des cosmonautes qui flottent dans leur cabine et revêtent pour marcher sur la lune, un scaphandre aux pieds de plomb. Le scaphandre de la conscience de vivre m'enveloppait, prêt à m'abandonner dans l'inexplicable légèreté du néant; le trépas est sans doute ce qui la suit...

Il m'est advenu de découvrir soudain la vie, après avoir échappé à la mort; je n'oublierai pas les épingles à linge posées sur leur fil de fer comme des hirondelles, le premier matin après la fosse à chars. J'ai éprouvé ce sentiment, retourné comme un sac : j'ai découvert soudain une autre chose que la vie non humaine. Je ne l'ai pas prise pour la mort; mais *elle en parle*.

Après coup, j'ai connu le dieu de l'épouvante. Comme la sexualité indépendante de tout objet (mais non de nous-mêmes), l'épouvante indépendante de toute peur. Peur de quoi? De la mort? Faux. Aucun rapport avec le chatouillement de mes poils pendant les secondes qui suivirent celles où l'on me tira de l'avion fracassé. La peur, même rétrospective, est peur de quelque chose. Mon sentiment était à l'angoisse, ce que la terreur est à la crainte. Bien au-delà de la peur. Au fond de moi-même, à moi comme le battement de mon cœur. Une horreur sacrée nous habite, nous attend comme les mystiques disent que Dieu les attend.

La mort aspire. Je suis encore habité par l'entonnoir de sable au fond duquel un insecte meurtrier attend les fourmis. L'édition illustrée d'Edgar Poe m'a montré jadis un tout petit bateau dans l'entonnoir invincible du maelström. Mais je ne suis pas le bateau. Aucune religion, aucune expérience ne nous a dit que l'épouvante est *en nous*. En avoir fait l'expérience me sépare imperceptiblement d'elle. Les forces intérieures qui nous jettent à l'auto-destruction, à la honte, appellent sans doute le désespoir plus que la terreur; celle-ci ne nous jette à rien. Je l'ai rencontrée comme le psychiatre trouve en lui-même la pieuvre, l'araignée, qu'il a trouvées chez ses malades. Le monstre a occupé mes décombres, puis ma conscience qui se perdait dans le sommeil; enfin, ce chemin s'est dissipé — mais je l'avais reconnu, je le reconnaîtrai, comme ces rêves où l'on pense : j'ai déjà rêvé cela.

Limaille collée à l'aimant de la terre, mais aussi, prisonnier qui se débat (alors que je ne bougeais certainement pas), frère des soldats de la Vistule dans leur bouleversant sursaut. Les images de la fièvre ont joué leur jeu onirique, entre les convulsions des Russes, leurs ombres de lapins boulés dans la forêt décomposée — et les ombres galvaniques et brumeuses des photos de Hiroshima. La force obsédante de cet événement est semblable à celle d'un mythe. Affronter la mort — et, de façon plus secrète, les morts, car les soldats allemands agissent contre la volonté des Allemands tués dans cette guerre — appartient au mythe. A un mythe dont le héros n'est ni une nation ni peuple, mais l'homme; parce que les Allemands de la sape et les Français du camp se mêlaient en moi dans la voix des cavernes, et que seul l'homme, bavard semblable aux muets, est l'acteur du mythe archaïque.

Je me suis souvenu (toujours le mot : convulsion?) d'un gibet, dans le camp d'extermination que nous avons délivré. Les condamnés, mains liées, corde au cou, se soutenaient par le gros orteil, suspendus entre la faiblesse et le supplice. Nous les avions cru pendus, et allions continuer notre marche quand ils ont hurlé.

La lutte contre les gaz m'habite; pas le gibet. Parce que j'ai fixé autrefois les événements de la Vistule, ou parce qu'entre les malheureux qui m'entourent ici, cette lutte démente des hommes, sans combat, semble prémonitoire? Les gaz sont le Fléau — qui doit être la mort.

Des jours passent, dans l'éloignement progressif de la stupéfiante expérience qui se transforme en séisme flou. La menace est toujours présente, le serait sans le murmure de l'hôpital;

la lucidité, toujours périodique, devient quelquefois plus vive.

Une rêverie suit sa pente, même si elle se croit une pensée. La ciguë ramène le suicide, Socrate, et le récit de ses dernières heures. J'en ai découvert l'accent en lisant la Crucifixion selon saint Jean. Dans son langage de Panathénées, malgré sa théorie de l'âme à dormir debout, Socrate a la chance d'ignorer la douleur jusqu'aux dernières paroles : « Et n'oublie pas demain, Criton, que nous devons un coq à Esculape... » Du Hadès, à qui adresser son offrande avec une plus amicale complicité, qu'au dieu qui l'a guéri de la vie?

En face de cette fin, l'agonie du Christ. « Et il sortit, chargé de sa croix, vers la colline du Crâne, en hébreu Golgotha. » Jésus dira seulement : « Femme, voici ton fils — J'ai soif — puis : C'est la fin. » Et, selon saint Marc : « Lama sabachtani. »

Du récit semblable à la nuit qui

aveugle la terre quand le Christ expire, les sculpteurs du Rhin, Grünewald, l'Espagne, ont tiré les images qui nous crient qu'on évoquait la Passion dans les charniers. La Crucifixion est plus profonde que cette éloquence. Nul ne parle sous la torture avec sérénité. Socrate, qui dialogue noblement avec la mort, n'aurait rien à dire au supplice. Le crayon s'est cassé sur la dernière phrase de Valéry : « Après tout, personne, avant le christianisme, n'avait dit que Dieu est amour. » Personne, depuis qu'existait la parole, n'avait répondu à l'esclave née en vain, qui présentait aux dieux de Rome le corps de son enfant mort en vain.

Mon aumônier du Vercors connaissait seulement ce que lui avaient enseigné le séminaire de Lyon (jamais il n'était venu à Paris) et un sacerdoce d'une inaltérable charité du cœur. C'est lui qui avait baptisé les Juifs à tour de bras parce « qu'il en resterait toujours quelque chose ». L'histoire de l'attaque de la Vistule l'avait frappé de stupeur. Lorsque je lui avais envoyé *Les Karamazov,* en lui signalant l'importance que beaucoup d'entre nous donnions à la phrase d'Ivan : « Si le monde permet le supplice d'un enfant par une brute, je ne m'oppose pas à Dieu, mais je rends mon billet », il m'avait écrit : « C'est un terrible problème, puisque c'est le problème du Mal... Mais le Mal n'est pas plus fort que la Rédemption, la Rédemption est plus forte que le Mal. » Moi qui ne crois pas à la Rédemption, j'ai fini par penser que l'énigme de l'atroce n'est pas plus fascinante que celle de l'acte le plus simple d'héroïsme ou d'amour. Mais le sacrifice seul peut regarder dans les yeux la torture, et le Dieu du Christ ne serait pas Dieu sans la crucifixion.

On apporte dans le lit voisin un nouveau malade — qui ne mourra peut-être pas... Qu'a pensé mon pauvre voisin?

Mes camarades tués en Espagne ou en France ont dit : « Dommage! », le temps de penser furtivement à ceux qu'ils aimaient. Ils ont accompli le devoir de caste des volontaires, celui qui fait un chevalier de quiconque meurt pour ce qu'il a choisi. Mon père? A-t-il pensé ce que je pense aujourd'hui? Presque tous ceux que j'ai aimés ont été tués dans des accidents. Pourtant Josette, qui savait que je viendrais du front et qui avait demandé qu'on maquille son beau visage avant mon arrivée, a dit la même phrase que le plus sage de mes amis, Bernard Groethuysen, rongé par le cancer : « Je n'aurais pas cru que ce soit comme ça, de mourir... »

Le tabou m'interdit de m'imaginer guéri, je m'interdis de me croire condamné. Les miens sont incrustés en moi, mais je ne vais au cimetière que par devoir. Je me souviens du Jour des Trépassés du Mexique, festins sur les tombes, distribution de

squelettes en sucre aux enfants, van-
niers qui doivent achever leurs sirènes
à tête de mort avant la nuit. Je me
souviens du murmure des Indiens à
genoux dans l'église du Guatemala,
devant les hauts cierges qui leur
parlent de leurs enfants morts; le bruit
d'abeilles de ce bavardage tendre et
funèbre accompagnait les flammes vers
le sol couvert de fleurs. La Chine, terre
élue des ancêtres, a chassé la mort.
Quand j'ai retrouvé Clappique à Singapour, les Papous frappaient leurs
gongs et leurs touques pour appeler les
paquebots blancs chargés de tous les
fantômes de l'Océanie, où les fantômes
sont plus blancs que les Européens.
Théâtres de la vérité, comme les corri-
das. Rien autre. Le sentiment de survie
m'est inconnu.

Un piétinement de groupe, dans le
couloir. Le chef des services de neu-
rologie?

Non. C'est le professeur ami qui est

venu, le premier jour, me dire : rien n'est irréversible. Sa trop grande silhouette, qui ressemble toujours à celle d'un général de Gaulle jovial, entre seule en battant l'air de ses bras, mais l'étroitesse de la chambre ou l'atmosphère de la clinique (dont il a cependant l'habitude, car il dirige l'un des principaux services psychiatriques de Paris) oppose sa gaieté, à l'austérité des professeurs en blouse.

Je lui offre des cigarettes.

— Merci; je préfère les anglaises. Je me demande pourquoi j'aime le tabac anglais, le thé, le whisky, le breakfast, la confiture d'oranges, alors que je me fiche de l'Angleterre. Tout cela doit aller ensemble, comme notre cuisine, le vin, la peinture, la mode féminine...

En effet, je l'ai toujours vu habillé selon la tradition anglaise de sa jeunesse, tweed et semelles crêpe; comme le Quai d'Orsay, la Faculté a changé de style, et remplacé le veston noir par le tweed. Il vient d'interroger ses confrères neurologues, ne m'apporte que de bonnes nouvelles, mais la menace est toujours là. Anecdotes, soit qu'il veuille me distraire, soit m'examiner. Il m'a dit, avant mon arrivée ici : « Nous sommes maintenant en avance sur les États-Unis. Si Hemingway s'était fait soigner en Suisse ou en France, au lieu d'aller à Mayo, il ne se serait pas tué. » Je l'interroge sur sa vie professionnelle, inépuisable comme celle de tous les psychiatres. « Cette semaine, les bons résultats habituels, bien que personne ne devine à quoi tient l'action de ces sacrées drogues. Enfin, vous savez, mieux vaut guérir sans savoir pourquoi, plutôt que laisser mourir en sachant comment! J'ai eu un cas embêtant. Je soupçonnais bien que la fille me jouerait un tour un jour ou l'autre, mais quand on m'a appelé, elle était morte. Je l'avais soignée autrefois : mythomane, perverse, très intelligente. La mère vient me consulter avec une bande de magnétophone, monologue de la fille qui confie à une amie imaginaire ses raisons de se suicider. A elle-même, sans doute. Puis le coup de revolver. Elle ne s'est pas manquée! Elle avait déjà essayé. Ils recommencent presque tous. Pas tout de suite. On a la paix pendant quelques mois. Ils sont entêtés, vous savez, mais la vie aussi.

— Dans votre domaine, comment définissez-vous la vie?

Je suis couché, il est resté debout. Vu par dessous, sa tête un peu naïve (alors que sa perspicacité est bien connue) dont les cheveux blonds folâtrent autour d'une précoce calvitie, devient austère. Mais il rit :

— Des définitions de la vie, oui-da, j'en ai plusieurs!

Le rire dévoile souvent, dans les hommes, leur visage d'enfant. Le professeur devient à la fois un patricien goguenard et un gamin à bouclettes, malgré son front dégarni; puis, redevient sérieux :

— Vous savez, la vie, je la connais parce que je cours après, donc, finalement, bien mal — comme tout le monde... Ici, c'est tantôt le coma, tantôt la lucidité... Nous voyons mourir beaucoup moins qu'autrefois, vous savez... Les gens meurent chez eux... Quand j'étais interne, nous faisions deux autopsies par jour. Voyez-vous, pour cette année entière, l'hôpital en a fait trois! Trois!.. C'était intéressant, les autopsies : la preuve que le diagnostic était bon...

Il ferme les yeux.

— La douleur peut changer beaucoup de choses, c'est une autre question...

— Qu'est-ce qui aide les malades? dis-je.

— Les chrétiens, vous savez, meurent selon ce qu'ils croient du Jugement et de la Miséricorde; ils ne le savent guère à l'avance. Il y a des surprises. Comme pour les autres... Sauf, presque toujours, voyez-vous, pour les sceptiques.

— Ils s'en tirent mieux?

La part d'enfance de son visage disparaît. Il répond lentement, pesamment :

— Ils ne s'en tirent presque jamais, vous entendez! Jamais. Le « mol oreiller du doute » est pire que la grande dépression, et elle est pire que le cancer... Votre pauvre voisin a eu bien du mal, dit-on ici.

— Jeune, vieux?

— La soixantaine... Un intellectuel...

De ma pauvre souris blanche, je n'ai connu que les cris étouffés — et l'angoisse. Il criait : « Ne me faites pas de mal! » Son sourire d'enfance...

— La science, reprend le professeur, a fait bien moins d'athées que de sceptiques, vous savez. Finalement, il y a de l'Anatole France partout. On joue avec le " Qu'importe! " Pour nous, médecins, le véritable aquoibonisme était un symptôme qui ne pardonnait guère...

— Lawrence d'Arabie l'avait fait graver sur son cottage.

— Voyez-vous, c'est le premier mot que nous souffle le suicide. Rien à voir avec l'interrogation distraite de Montaigne, qui croyait tout de même en Dieu. On doute de bien des choses, pas du cadavre. Et pas ici. On peut faire semblant dans les livres...

Il est plus grand encore que Jacques Méry, et ses gestes de sémaphore, à son arrivée, m'ont rappelé, par opposition, les gestes frileux de mon ami de Singapour. C'est Jacques Méry, qui m'a parlé de l'inscription de Lawrence.

— L'aquoibonisme, vous savez, nous le soignons, maintenant. Et il...

— Auriez-vous guéri Lawrence?

— Qui sait? Je vous soigne bien! Mais aurait-il accepté d'être soigné? Je voulais dire : les malades guéris de la grande dépression découvrent parfois l'opposé, je ne sais comment l'appeler, la maladie de la certitude. Je me souviens d'une paroissienne que je soignais d'une névrose à la limite du suicide. Elle avait trompé son mari pendant qu'il était prisonnier. Ravagée, je n'exagère pas. Sauvée par les amphétamines, elle disparaît, reparaît après quelques mois, me dit : « Je me demande vraiment pourquoi j'ai attaché tant d'importance à tout ça ! — Peut-être y avait-il de quoi, madame, puisque vous m'avez dit que vous ne pouviez vous pardonner d'avoir trompé votre mari; d'autant plus qu'il était alors prisonnier; et que vous êtes profondément religieuse... »

Le professeur se lave les mains d'un air de chanoine, en dresse une qui semble se déployer au-dessus de lui, imite l'indignation qu'il peint :

« — Docteur, s'il n'avait pas été prisonnier, je n'aurais sans doute pas eu à le tromper ! quant à mes sentiments religieux, si le bon Dieu ne me comprend pas, qui est-ce qui me comprendra ! »

« L'humanité, voyez-vous, me fait

l'effet de cette bonne femme. Moi aussi, parfois... Un siècle est possédé par sa névrose dépressive ou paranoïaque, le suivant se demande pourquoi on attachait tant d'importance à tout ça... »

A Barcelone, vers la fin de la guerre d'Espagne, je lisais une histoire des doctrines sociales, lorsque les sirènes emplirent de leur morne appel de fléau, la ville reconquise par la nuit en quelques secondes. Je poursuivais ma lecture à la lueur d'une lampe de poche cachée par le drap. Le livre, antérieur à Lénine, ignorait la technique de l'insurrection et, fidèle à son titre, définissait toute pensée révolutionnaire par une doctrine — comme s'il eût étudié l'histoire de l'utopie : toutes les sociétés rêvées, depuis Thomas Morus jusqu'à l'anarchie, depuis Fourier jusqu'à Kropotkine. Cette immense dérive frémissait de l'approche des bombardiers ennemis. Des passions qu'elle avait jadis inspirées, il ne restait rien. La dernière chasse les autres. Le démon que l'Extrême-Orient appelle celui des choses-qui-passent ne me parlait pas sur le ton de l'hypothèse, mais avec la profonde rumeur du sang. " Qu'importe ", mais le prisonnier recommençait toujours sa tentative d'évasion; ces choses-qui-passent, ces rêves, on les avait salués comme l'aurore dont le rose mort commençait d'envahir le plafond de ma chambre, dans les salves en arpège des premières bombes. Mais ce n'était pas l'aurore. J'avais choisi le dernier étage de l'hôtel, toujours libre en ces temps; je me levai pour aller vers l'incendie qui emplissait la fenêtre, d'où l'on voyait la ville nocturne jusqu'aux collines. La sournoise douceur du rougeoiement et des fumées tranquilles succédait aux traînées des explosions, le paraphe gigantesque et lent des fumées s'allongeait comme les utopies ou les révoltes. Les bombes et les anti-aériens se turent ensemble; la sirène

171

de fin d'alerte et un piaillement enfantin emplirent le silence rouge; je pensais à la foule de Madrid, chargée de
ses édredons écarlates et de ses ma-
chines à coudre, lorsque les monts-
de-piété avaient rendu aux malheureux leurs pauvres gages. Je le raconte
au professeur, qui répond :

— C'est une faculté de notre drôle de
cerveau, vous savez... Mais quand cela
devient obsédant, gare! Lawrence
d'Arabie, en faisant graver son inscription, faisait imprimer son faire-
part de mort... On trouve toujours une
motocyclette pour se tuer. Vous vous
souvenez souvent de votre nuit de Barcelone, ici?

— Souvent, non.

— Tant mieux! Quelle forme prend
ce souvenir?

— Le convoi des utopies et des espé-
rances, je crois; et j'entends craquer
les souliers neufs d'un type, dans le
silence qui tombe juste avant les
sirènes de fin d'alerte.

Il ébauche un geste qui semble signi-
fier : revenons en arrière.

— Vous avez écrit autrefois que la
Mort avec une majuscule, votre Mort
métaphysique,

— Çiva.

— Çiva si vous voulez, n'est pas du
tout semblable au décès. C'est à partir
de là que j'ai commencé à vous lire
avec attention. Vous répondiez par
l'art.

— J'ai surtout dit que l'art devenait
inintelligible si l'on écartait le problème dont vous parlez...

L'un de mes personnages, dans
l'*Altenburg*, écrit quelque chose
comme : « Le plus grand mystère n'est
pas que nous soyons jetés au hasard
entre la profusion de la vie et celle des
astres; c'est que, dans ce que Pascal
appelle notre prison, nous tirions de
nous-mêmes des images assez puis-
santes pour nier notre néant... » Il
continue :

— Oui, bon, si vous voulez. Tout de

173

même, vous pensiez à la guerre. J'ai rencontré la même expérience à l'hôpital. Mais depuis que la réanimation fait partie intégrante de la médecine... Finalement, les réanimations, congélations et autres, ne suppriment pas la question métaphysique posée par la mort, puisqu'elle concerne le sens de la vie. Pourtant, la " dernière heure " nous coule entre les doigts.

— Avez-vous remarqué que les femmes, même croyantes, attachent à la dernière heure moins d'importance que les hommes?

— Écoutez, les hommes et le christianisme, bon, je veux bien, mais aussi l'antiquité. Vous savez ce qui est arrivé au copatron de cette clinique, Lhermitte. Une fille est dans le coma, à Necker : plus d'activité nerveuse, mais la respiration, la circulation, le cœur, maintenus par la réanimation. Appelé en consultation, il entreprend des examens, recommence, toujours perplexe. Finalement : « Je crois cette malade, morte depuis trois jours. » Ce qu'a prouvé l'autopsie. Cerveau liquéfié. De temps à autre, il me semble que je devrais congeler mes malades pour une centaine d'années : quand ils reviendraient à la vie, la médecine aurait fait les progrès nécessaires pour les guérir. Drôle d'idée. Ignorer quand le malade meurt, nous rend la mort compliquée; mais finalement, chercher le *quand* nous distrait de chercher le *pourquoi*...

Il ne se soucie pas plus que moi d'avoir raison. Ce qui me retient, c'est l'expérience humaine que suggèrent ses paroles : « ...Ils ne recommencent pas tout de suite, on a la paix pendant quelques mois... Je lutte, finalement bien mal, comme les hommes... Les sceptiques ne s'en tirent presque jamais... Ma paroissienne... Notre drôle de cerveau... C'était intéressant, les autopsies... Je devrais congeler mes malades... » De ce qui m'obsède ici, cet homme intelligent prend conscience à travers un domaine de connaissances, de recherches, qui m'est presque inconnu. Si l'homme est moins une espèce unique pour lui que pour moi, c'est que je pense à ce qu'elle a de particulier, et lui, à ce qu'elle a de général. Menace pour moi, est métier pour lui... Je réponds :

— Les réanimés, eux, qu'est-ce qu'ils pensent?

— Les suicidés? (Il y a les autres!) Ils sont euphoriques. Pas du tout par goût de la vie retrouvée. Comme ça. Il y en a qui *ont été* morts, vous savez. Aucun souvenir. Le mystère continue. Les autres, ceux des " soins intensifs ", ils ne pensent rien. Sauf si la souffrance est là; alors, ils pensent à elle. Ceux qui ne souffrent guère sont plus nombreux qu'on ne croit; notamment ici. Les gens pensent difficilement à ce qui ne leur est pas familier. Ils n'ont pas l'habitude du coma, vous savez!

— Les grandes époques de foi ont cru que la mort leur était familière...

— Chacun savait bien que l'expérience de la mort ne se double pas! Finalement, mes collègues athées croient au néant, et mes collègues chrétiens, au salut — de la même façon : comme-ci, comme-ça... Croire que la biologie rendra compte de la vie et de l'homme, n'est pas plus singulier que le contraire. La connaissance dernière est peut-être une carotte sublime : nous courons, nous courons! bien sûr, mais les limites des mathématiques ne vous font pas revenir au boulier! On peut toujours découvrir le prochain palier; après, on meurt...

— Ou avant...

— ...et : au suivant! L'homme invente beaucoup de choses, il vient même d'inventer la biologie moléculaire... Vous savez, nous avons appris plus de chimie du cerveau depuis quinze ans, qu'on n'en avait appris en cinq mille ans...

Que penser, de la nonchalance intellectuelle que son sourire accompagne si bien? Mais ce ne sont pas les connaissances dernières qui le guident, c'est l'objet des recherches qu'il conduit passionnément, et ne met en balance avec rien.

— Au camp, dis-je, un prêtre prisonnier m'a affirmé que beaucoup de gens meurent dans un mélange inextricable de crainte et d'espoir... Mais il m'a dit aussi qu'un mourant l'avait flanqué à la porte pour terminer *Les Mystères de Paris*.

— Et puis quoi : penser à la mort? L'anxiété est-elle une pensée?

— A sa manière... »

Les pensées sur la mort sont toujours plus ou moins vaines, comme celles de Socrate quand il veut démontrer l'existence de l'âme. Bon. Pourtant, le sentiment de la mort existe : un sentiment sans objet, comme l'angoisse, et qui invente son objet. La demi-liberté d'esprit que me laisse souvent la maladie me montre à quel point la douleur nourrit ce sentiment-là : si je souffrais davantage, je serais beaucoup plus tyrannisé par la mort. Le christianisme paraît bien complaisant, à ce sujet. Surtout à partir du xve siècle... J'ai cherché comment est né le sujet de la Pietà. Sans succès.

La méditation de la mort, pratiquée longtemps, dans la chrétienté, à partir de cinquante ans, n'a pas peu contribué à nourrir son virus redoutable. Le sage de l'Inde avait rendez-vous avec elle, et la rejoignait dans la forêt pour s'unir à l'absolu. Alors que beaucoup de nos maniaques du duel, survivants de trente combats, ont fini bouleversés par le masochisme religieux : « Ces pieds qui couraient, ces mains qui s'ouvraient, ne bougeront plus jamais; ces yeux ne regarderont plus... » Le christianisme a beaucoup tisonné la mort pour y chercher la présence de Dieu — qu'il a souvent oublié, au bénéfice de sa minutieuse évocation de la souffrance.

— Voyez-vous, quand je sauve un paroissien, ou quand je fais reculer la douleur ou la folie, finalement, ce que vous avez appelé l'absurde, recule. Tout ça durera bien quelques générations? Pourquoi ça durerait-il, finalement? Vous l'avez fort bien écrit : " A quoi bon aller sur la lune, si c'est pour s'y suicider? " Est-ce que je crois aux conclusions de la biologie? J'y crois plus qu'au reste. Elle répond moins mal aux questions que pose la mort...

— Il semble toujours que sa réponse doive être une *explication* du monde et de l'homme; qu'elle dise : la génétique explique bien ce que la Genèse expliquait mal.

« Constatez que même pour cette explication, il reste des ombres. L'origine de la " soupe primordiale " d'où surgit la vie. — Puis, ce surgissement même. — Et l'entrée en scène de l'homme : un chaînon de l'évolution? encore ne serait-il pas un chaînon comme les autres. Malgré les parentés. Et cette différence m'intéresse — m'interroge? — autant que l'évolution des espèces.

— N'y a-t-il pas autant de différence entre l'idiot du coin et... vous, par exemple, qu'entre un grand singe et ledit idiot?

— L'espèce à laquelle nous appartenons, l'idiot et moi, possède des aptitudes fondamentales (s'interroger, par exemple) qu'aucun singe n'a jamais possédées.

« Parenthèse. Vous étudiez cette question en termes d'espèces, et vous voilà dans les individus; parti de l'individu, je parle en termes d'espèces. Curieux, non? Fermons la parenthèse.

« Une autre chose m'intrigue davantage : cette conversation demande de l'attention, je ne suis pas fatigué. »

— Le Pertofran ajouté ce matin à vos médicaments est un stimulant.

— Donc, allons-y. Ce qui est en cause, n'est-ce pas, c'est la façon dont vous tentez de rendre intelligible l'aventure

181

de la vie. Un peu comme l'histoire a fait de l'aventure humaine un destin.

Le souvenir de la nuit de Singapour avec Méry n'a pas abandonné mon esprit :

— J'ai entendu poser la question " à la base " jadis. En Asie, un de mes amis m'a dit : « Dans la forêt tropicale, je ne peux m'empêcher de penser : les hommes ont été en face de tout ça, et ils ne savaient rien. Les biologistes nous disent que d'innombrables sélections, et une expérience héréditaire, accumulée, une expérience de l'espèce, leur ont permis de manger seulement ce qu'ils devaient manger pour survivre. S'ils avaient dû essayer, comme nous le croyons plus ou moins, l'expérience ne se serait pas accumulée : l'humanité aurait disparu, empoisonnée. »

— Les essais ont duré très longtemps...

— La brousse nous crie que l'homme n'avait aucune chance, répond mon ami. Une autre force a joué. Une force qui affleure dans bien des domaines, comme l'électricité quand on en pressentait la découverte... L'oiseau qui se nourrit de la pulpe du strychnos, l'arbre à strychnine, ne touche jamais au noyau, poison violent...

— En général, les oiseaux ne mangent pas les noyaux!

Il rit. Jacques Méry, aussi, changeait de traits lorsqu'il riait. Comme lui, le professeur semble avoir reçu son visage par accident. Méry a fini par adoucir et attrister son masque de centurion, le professeur a fini par alourdir d'autorité ses gestes jovialement nonchalants, son visage étonné. Sa personnalité a donné du fil à retordre à ses traits. Le résultat n'est pas sans charme, et ses succès sont connus. N'étaient les phrases amères, je penserais à un type traditionnel du cinéma américain : le grand boy gauche qui les tombe toutes, et gagne toujours la partie.

— Peut-être les noyaux sont-ils parfois ouverts, dis-je. Le fait est souvent cité, vous le savez; on aime les histoires de curare et de belladone. Changeons d'exemple.

— Oui-da, j'en connais pas mal!

— Alors, je vous fais grâce des miens. J'ai donc tendance à penser, comme mon ami, que certains instincts des animaux, leurs migrations, ne viennent pas de sélections. Bien que les migrations soient programmées, selon l'expression consacrée. De plus, disait mon ami, l'espèce canine n'a transmis à aucun chien le refus instinctif des boulettes empoisonnées. Il citait la phrase de votre collègue Haldane à ce sujet : « S'il s'agit de Dieu, qu'on le dise! »

— Il était croyant?

— Agnostique, avec des reflets de bouddhisme.

— Donc, il ne proposait rien? Alors, une explication plausible vaut bien une absence d'explication.

— Plausible, à condition d'en écarter l'homme. Les espèces... Ce n'est pas l'espèce des fourmis, ni d'ailleurs des lions, qui possède l'aptitude constante à concevoir des au-delà, à mettre le monde en question; c'est l'homme, qui a créé (en passant!) le langage, l'écriture, l'outil, le tombeau et d'autres gadgets — outre les moyens de faire sauter la planète... Faut-il donc être chrétien pour penser que l'homme est séparé de *tout le reste* par une différence de nature, non de degré? Tant bien que mal, il commence à s'habituer à l'impensable. Et quand Pascal parle de l'homme, il n'a pas toujours tort, même sans l'âme, même sans Dieu. Ce n'est pas d'un quelconque exploit dans les Andes, qu'aucun animal n'eût été capable, c'est de l'au-delà.

« Ne me supposez surtout pas à la poursuite d'une âme immortelle. Vous connaissez l'histoire du Martien qui a passé quelques heures sur la terre, n'a pas rencontré d'hommes, mais a trouvé un kodak. Il le rapporte dans sa soucoupe volante, le fait marcher. Ce truc est si manifestement *organisé* pour prendre des images, qu'il est nécessairement un être vivant. Très juste. Si l'on ignore Kodak. Nous tâtonnons, nous brûlons, nous allons finir par trouver Kodak. Après quoi nous découvrirons que comprendre Kodak est bien plus difficile que comprendre l'appareil. Je n'espère pas du tout la clef du monde — mais un relais. Pourquoi faire... Pour courir, comme vous disiez. Peut-être aussi parce que je voudrais savoir ce que devient l'homme, sans Dieu — et ici. »

Il semble vouloir répondre, et se tait. Mon : ici, le gêne. Je reprends :

« Voici donc ce qui me semble essentiel, soit que nous interprétions les instincts et la nature humaine d'une façon, soit d'une autre. Les explications du monde, de l'homme, qui ont précédé celle de la science, ce sont les religions, n'est-ce pas? Or, chaque grande religion révélait simultanément le monde, par une explication : mythe, histoire, etc., et par une signification. Avec l'évolution, pour la première fois — je dis bien : pour la première fois — une explication du monde n'en apporte pas la signification. Il y a eu, pas longtemps, la lutte pour la vie.

— Qui n'est pas de Darwin!

— Je sais : de Spencer. D'ailleurs, à vos yeux, dépassée. Mais je voudrais insister sur ceci, que la Bible n'était pas d'abord une histoire, dont le chrétien tirait ensuite des conséquences. Le récit était inséparable de son sens, sécrétait ses valeurs. Les hommes y trouvaient leur Loi, au plus grand sens du mot, ils ne l'y cherchaient pas. Ils ne la trouvent ni dans la soupe primordiale ni dans l'évolution.

— Oui-da! Et ils la re-trouveront dans la Bible?

— Ils ont voulu vivre selon le Christ ou le Bouddha, comment vivraient-ils selon Darwin, Mendel ou qui vous voudrez? Pas plus que selon Einstein, Newton ou Max Planck.

— Pourquoi Einstein ne succéderait-il pas à saint Paul?

— Le chrétien, à travers saint Paul, participe du Christ; l'homme quelconque, comme disaient les Italiens, ne participe pas de la relativité, ni du monde, à travers Einstein. Il le respecte. Il l'envie peut-être. Mais la science change la terre, elle ne change pas l'homme. Le Christ, le Bouddha, Mahomet s'adressaient à lui. La science, non. Depuis qu'ils n'en attendent plus le bonheur, ils en ont peur.

— Il serait bien intéressant de comparer ce que la science a été pour les hommes avant 1914, et ce qu'elle est devenue...

— Le scientisme fut un petit dieu tonitruant, pas très durable; la science devient un dieu tout-puissant, à demi clandestin, et l'ordonnateur de la civilisation dans le monde entier, qu'elle le veuille ou non... Il n'y a pas de science qui ne pose la vérité comme valeur suprême. Cette vérité-là n'est une valeur suprême que pour les chercheurs. On a pris à la légère la phrase d'un personnage de Dostoïevski : « Si j'étais contraint à choisir entre le Christ et la vérité, je resterais avec le Christ contre la vérité. » On a eu tort. Le nouveau dieu peut faire plus que tous les autres, puisqu'il peut détruire la terre. Mais il est un dieu muet.

— Intéressant... Selon vous, la crise de la jeunesse vient de là, naturellement?

— Ce qui commence à disparaître, c'est la *formation* de l'homme. La science peut détruire la planète, elle ne peut pas former un homme. Les sciences humaines le montrent à merveille. L'homme n'est pas ce qu'elles posent, mais ce qu'elles cherchent. Ce qui rendait compte du monde avait formé les hommes — en se formant, si je puis dire. Pas seulement les religions : le Romain qui éblouit l'Europe depuis la Renaissance jusqu'à Napoléon n'était pas un type religieux.

— Pourquoi n'apprendraient-ils pas à se former tout seuls?

— L'homme occidental reste informe parce qu'il attend. La science, en tant que croyance et non en tant que science, est croyance en une explication *future* du monde. Et les Occidentaux ont toujours l'air de croire qu'ils vont remplacer les Croisades par l'instruction civique. La formation de l'homme passe par le type exemplaire : saint, chevalier, caballero, gentleman, bolchevik et autres. L'exemplarité appartient au rêve, à la fiction. Et sans jeu de mots, la fiction de la science, c'est la science-fiction.

Il répète à mi-voix, comme s'il s'interrogeait :

— Même en acceptant votre analyse, pourquoi l'homme ne parviendrait-il pas à se former lui-même?

Et retrouve sa voix :

« C'est moins difficile que d'inventer le feu... Vous avez raison sur un point : il traverse une sorte de no man's land. Il commence à s'en apercevoir, vous savez... Pendant un siècle, il essaiera de s'en tirer en différant tout ce qui pourra être différé... Le jugement différé n'a point la niaiserie du scepticisme... La traversée sera rude... »

Il s'assied. Donc, il pense que ma lucidité va continuer. Sa ressemblance avec le général de Gaulle s'affaiblit. Son nez est imperceptiblement retroussé; sa bouche, petite mais ronde. Il a pris un de ses genoux dans ses mains croisées. Sa voix s'est abaissée avec lui; non plus grave, mais distraite comme celle de nos obsessions et de nos rêveries :

« — Je vais peut-être vous surprendre : comme médecin et personnellement, je crois que le doute est toujours superficiel. En outre, très mauvais. On en parle avec des sourires entendus, complices. Idiots, car tout ce qu'il tire avec lui, nourrit l'angoisse : incertitude, scepticisme, remise à plus tard. Devant le cadavre, finalement, il ne fait pas le poids. La mort gagne pour une raison pas claire, raison tout de même.

— Le cadavre était léger, en face des dieux. Il devient encombrant.

— Et savez-vous ce qu'il devient quand il répond au scepticisme, c'est très surprenant : une espèce de sarcasme.

— Il n'y avait que les religions, pour répondre à la mort. Elles sont sans doute nées pour ça...

Le prince Siddharta, surpris par une crémation dans la nuit chaude de l'Inde, entend : « Prince, c'est ce qu'on appelle un mort. » Il y a longtemps que les peintres et les ermites regardent le ricanement illustre. Mais le professeur a raison : les crânes n'ont jamais tant ri que pour nous. Il dit :

« — La force du cadavre se fonde sur : *je* serai *ceci*. »

Il désigne sa poitrine, baisse le doigt vers le sol, semble me prendre à témoin, l'air plus qu'étonné : ingénu — enchaîne :

« Or, pour chacun de nous, « ceci » veut dire : le cadavre des autres. Nul n'a jamais vu son propre cadavre, vous savez...

— Il y a beau temps que la Grèce a proclamé : le vivant ne peut ni concevoir ni ressentir la mort — et le mort non plus.

— Elle l'a proclamé; finalement, personne ne l'a jamais éprouvé. Notre relation avec la mort appartient à une croyance, bien sûr, mais depuis que je vois mourir, je me demande si le contenu de cette croyance n'est pas, pour l'inconscient, la transmigration de l'homme dans le cadavre. Pensez-y. L'homme a eu la métempsycose diablement chevillée au corps! en

193

Asie il l'a encore, ailleurs aussi. Le cadavre maintient l'angoisse chez des hommes qui ne croient à aucun Jugement : nous connaissons une anxiété de l'au-delà, pas de l'en deçà. Notre mort ne nous pose pas les mêmes questions que la naissance de notre grand-père! L'angoisse, je passe mon temps à la soigner, elle se nourrit de la mort, la mort ne la crée pas.

Il sourit maintenant comme si cette conversation se moquait de quelqu'un. Je voudrais réfléchir, non parler. D'ailleurs, il se lève.

— J'ai ici une autre malade, qui va sortir demain, j'espère. C'est une parente de Georges Pompidou. Allons, pour un homme dans votre état, vous n'allez pas trop mal, finalement! Continuez à travailler du chapeau et de la couronne de lauriers!

Autrefois, les professeurs se montraient graves — mais autrefois, ils étaient toujours plus âgés que moi... Il me quitte, laisse la porte ouverte et retrouve, dès le couloir, les gestes qui jonglent avec sa serviette.

Repos. Ou stagnation. Sauf... Comment appeler ce que j'éprouvais à Barcelone, ce que j'éprouvais encore avec violence en regardant les rues pour venir à la Salpêtrière, et qui n'a pas de nom en Occident — le sentiment du « passage-des-choses », disent les bouddhistes? Je pense parfois : « En l'an 1973 avant l'ère chrétienne, dans le Moyen Empire d'Égypte... » Je pense aujourd'hui : Que disait-on de la mort, vers 1573? Je sais un peu ce qu'on écrivait sous Henri III, mais ce qu'on disait?... La fatigue commence. Pendant ce dialogue, je me sentais guéri; je repars pour l'inconscience comme pour le sommeil. A travers le passage complaisant de poèmes sans naissance et sans fin, vers que Shakespeare reprit de la Bible : « C'est par une nuit pareille, Jessica, quand le vent faisait trembler en silence les feuilles des arbres... — C'est par une nuit pareille, Lorenzo, quand Médée cueillait les herbes enchantées... »; sérénité de tant de poèmes de mort; Piero della Francesca et la *Pietà* d'Avignon, la tombée du soir de Monteverdi, le *Crucifixerunt* de Bach, l'amour, quand le destin ne l'a pas effacé...

La fraternité, que le destin n'efface pas.

Pourquoi accompagne-t-elle fidèlement la mort? Aujourd'hui, j'ai besoin d'elle, sans doute en réponse à mon souvenir de Barcelone; les drogues, même dans la somnolence, m'aident à diriger mes souvenirs. Et sous l'action du nouveau médicament, la somnolence est envahie d'une ébriété d'images — comme, tout à l'heure, d'idées... La fraternité est rarement absente de ces images, et les scènes de la Vistule m'obsédaient à cause d'elle. Sentiment que l'on croit connaître parce qu'on le confond avec la chaleur humaine; en fait, sentiment des profondeurs, ajouté comme par repentir à la devise de la République, dont les premiers drapeaux ne portent que Liberté-Égalité.

Liberté-Égalité! Chaque révolte perd beaucoup de ses sentiments initiaux, et même de ceux qui l'ont précédée : le scientisme a fanatiquement tenté de concevoir les religions en les vidant du sacré; des Russes sincères et intelligents louent à la fois la liberté et la Guépéou. Encore le mot liberté conserve-t-il son éclat; fraternité n'exprime plus que l'utopie comique où personne n'aurait mauvais caractère. Les hommes croient que la fraternité a été ajoutée le Dimanche à des sentiments profonds, justice ou liberté. Elle ne s'ajoute pas. Comme le sacré, elle nous échappe si nous lui arrachons son irrationnel de cavernes. Aussi obscure que l'amour, étrangère comme lui aux bons sentiments, aux devoirs; comme lui — et non comme la liberté — sentiment provisoire, état de grâce.

Si le 14 Juillet de la Fédération a bouleversé la France, c'est qu'il fut la Fête de la Fraternité. Que nous nous gardions de lui donner son nom puérilisé, et ce qui lui appartient élève en nous sa rumeur profonde comme celle du sacrifice, de l'amour, du fantastique, de la mort. « Les hommes auront un jour vécu selon leur cœur... » Les Mères ne hantent pas seulement les ténèbres. Un combattant d'Espagne m'a dit : « Le contraire de l'humiliation et de la mort n'est pas la liberté, on raconte ça! c'est la fraternité. » De la devise républicaine, ce mot rescapé est le seul qui réponde au christianisme; mon Espagnol aurait pensé que la Crucifixion aussi, c'est la fraternité.

J'ai dit : l'amour. Vers 1925. Comme les jeunes imbéciles d'alors, je ne croyais pas à son existence. Dans un petit cinéma, au moment où la lumière reparut, je vis devant moi Nénette et Rintintin, dix-huit ans chacun. Ils ne s'embrassaient même pas. Ils se regardaient. Avec tant d'émerveillement que je pensai aux insectes qu'on tue sans pouvoir desserrer leur étreinte. Cramponnés l'un à l'autre comme les mourants se cramponnent au fer rouge de l'agonie.

La vraie fraternité. Au Panthéon, j'ai senti la chaleur " qui parcourait le grand froid ", selon l'une des survivantes de Jean Moulin :

« Dans un village de Corrèze, les Allemands avaient tué des combattants du maquis, et donné ordre au maire de les faire enterrer en secret, à l'aube. Il est d'usage que chaque femme assiste aux obsèques de tout mort de son village en se tenant sur la tombe de sa propre famille. Nul ne connaissait ces morts, qui étaient des Alsaciens. Quand ils atteignirent le cimetière, portés par nos paysans sous la garde menaçante des mitraillettes allemandes, la nuit qui se retirait comme la mer laissa paraître les femmes noires de Corrèze, immobiles du haut en bas de la montagne, et attendant en silence, chacune sur la tombe des siens, l'ensevelissement des morts français. »

Ces images se poursuivent comme les mots lumineux annonciateurs de la guerre chassaient les réclames sur la place de Montpellier; les images du seul sentiment qui, jusqu'au retour de la fièvre, osera regarder la mort.

A Roquebrune, devant le feu de bois, le moment où l'homme de quarante ans, pour la première fois, est pris de la maladie de se souvenir. De quoi? Ce jour-là, de Saigon, du temps où nous publions *L'Indochine enchaînée*. Aucun imprimeur n'ose plus composer le journal. Nos ouvriers ont remonté de vieilles presses. Nous n'avons trouvé (à la mission de Hong-Kong...) que des caractères de langue anglaise, sans accents. Impossible d'imprimer. La nuit, un ouvrier annamite entre, tire de sa poche un mouchoir noué, coins dressés comme des oreilles de lapin : « Y a rien que des *é*. Y a des accents aigus. Des graves. Des circonflexes. Pour les trémas, plus difficile. P't'êt' on pourra s'en passer. Demain, nous Ann'mites, nous allons apporter tout. » Il a ouvert le mouchoir, vidé sur un marbre les caractères enchevêtrés, et les a étendus de son doigt d'imprimeur, sans rien ajouter. Il les avait pris dans les imprimeries gouvernementales, et savait que s'il était trahi, on ne l'enverrait pas au bagne comme révolutionnaire, mais comme voleur.

Le plus saisissant instant de fraternité que je connaisse, et que j'ai inventé... Dans un hôtel de Peïra-Cava, je suis en train d'écrire la scène de *La Condition humaine* où les révolutionnaires de Shanghai blessés vont être jetés dans le foyer de la locomotive. Katow a pu conserver son cyanure. Dans la nuit, sa main rencontre celle de Kyo, jeté à côté de lui, qui la serre. Je devine alors que Katow va déposer le cyanure dans la main qui vient d'étreindre la sienne.

Pendant la Résistance, j'ai possédé du cyanure pendant deux ans. Lorsque Londres nous l'a distribué, je me suis demandé si la scène de mon livre deviendrait prémonitoire. Prémonitoire comme l'histoire de la Vistule devant les soubresauts de mes pauvres compagnons? En partie — car je n'aurais, hélas! pas donné mon cyanure.

Une autre scène, que j'ai transposée dans *Le Temps du mépris*.

Boris Savinkov en prison, avec les condamnés qu'on va pendre. A l'appel de son nom, un autre prisonnier s'avance. Les terroristes savent que Savinkov est l'un des chefs du mouvement, que sa vie doit être préservée, et ils se regardent avec fierté. Sauf lui.

Des scènes d'Espagne que j'ai écrites, filmées ou voulu filmer. D'autres que j'avais oubliées.

L'hôpital militaire de Madrid, cave voûtée de Goya, soupiraux d'où tombe le jour à travers les plantes. Sous le voile de la moustiquaire, un blessé hurle. Aviateur, tombé avec sa bombe, vingt-sept éclats. Une femme, sa mère? plonge dans la moustiquaire. Les cris cessent. Je n'entends même plus le grincement des dents qui les suivait. De l'intérieur, une main tord la moustiquaire. Un nouveau bruit commence, devient distinct : un bruit de lèvres. Que dire en face d'un corps déchiqueté? La mère fait la seule chose qu'elle puisse faire : elle l'embrasse.

La prédication du moine des Hurdes aux miliciens, dans la nuit livrée aux camions de l'armée.

— Le Christ Jésus a trouvé que chez nous ça n'allait pas bien. Il s'est dit : J'irai là. L'ange a cherché la meilleure femme de la région. Jésus s'est mis à apparaître. Elle a répondu : « Oh! pas la peine : l'enfant viendrait avant terme, vu que j'aurais pas à manger. »

« Le Christ est venu chez une autre. Autour du berceau, y avait que des rats. Pour réchauffer l'enfant, c'était faible, et pour l'amitié c'était triste. Alors, Jésus a pensé qu'en Espagne ça n'allait toujours pas.

« On a obligé les propriétaires à donner des terres aux paysans. Ceux qui ont des bœufs ont hurlé qu'ils étaient dépouillés! Par ceux qui ont des rats. Et ils ont appelé des soldats romains.

« Alors le Seigneur est allé à Madrid. Et pour le faire taire, les rois du monde ont commencé à tuer les enfants de Madrid.

« Alors le Christ s'est dit qu'il y avait vraiment pas grand-chose à faire avec les hommes. Qu'ils étaient si dégoûtants que même en saignant pour eux jour et nuit pendant l'éternité, on n'arriverait jamais à les laver.

« ... Les descendants des rois mages étaient pas venus à sa deuxième naissance, vu qu'ils étaient tombés clochards ou fonctionnaires. Alors, pour la première fois au monde, la première, de tous les pays, ceux qui étaient tout près et ceux qui étaient au diable, ceux chez qui il faisait chaud et ceux chez qui il faisait gelé, tous ceux qui étaient courageux et misérables se sont mis en marche *avec des fusils.*

« ... Et ils ont compris avec leur cœur que le Christ Jésus était vivant dans les pauvres types de chez nous. Et par longues files, de tous les pays, ceux qui connaissaient assez bien la pauvreté pour se battre contre elle, avec leurs fusils quand ils en avaient et leurs mains à fusils quand ils en avaient pas, ils sont venus se coucher les uns après les autres sur la terre d'Espagne...

« Ils parlaient toutes les langues, même qu'il y avait avec eux des marchands de lacets chinois. »

... Et quand tous les hommes ont eu trop tué, — et quand la dernière file des pauvres s'est mise en marche...

Les derniers mots à voix basse, avec l'intensité chuchotée des sorciers :

— ...une étoile qu'on n'avait jamais vue s'est levée au-dessus d'eux...

Le retour des blessés du bombardier abattu dans la sierra de Teruel, civières portées par les paysans et suivies par tous les villages que le cortège a traversés.

Derrière les créneaux, le bourg se masse. Le jour est faible, mais ce n'est pas encore le soir. Bien qu'il n'ait pas plu, les pavés luisent, et les porteurs des civières avancent avec soin. Dans les maisons dont les étages dépassent les remparts, quelques faibles lumières sont allumées.

Les paysans, sur le rempart, sont graves, mais sans surprise : le visage du premier blessé est hors de la couverture, et il est intact. L'atmosphère devient plus lourde lorsque passent les suivants : assez de jour encore, pour que les yeux attentifs voient sur le cuir de larges plaques de sang. Quand Gardet arrive, sur cette foule déjà silencieuse tombe un silence tel qu'on entend tout à coup le bruit lointain des torrents.

Tous les autres blessés voient; et, quand ils ont vu la foule, ils se sont efforcés de sourire, même le bombardier. Gardet ne regarde pas. Il est vivant : des remparts, la foule distingue, derrière lui, le cercueil. Aveugle? Recouvert jusqu'au menton par la couverture, et, sous le serre-tête en casque, ce pansement si plat qu'il ne peut y avoir de nez dessous, ce blessé-là est l'image même que, depuis des siècles, ces paysans se font de la guerre. Et c'est un volontaire. Un moment, ils hésitent ne sachant que faire, résolus pourtant; enfin, comme ceux des autres villages, ils lèvent le poing en silence.

La bruine commence à tomber. Les derniers brancards, les paysans des montagnes et les derniers mulets avancent entre le grand paysage de roches où se forme la pluie du soir, et les centaines de paysans immobiles, le poing levé. Les femmes pleurent sans un geste, et le cortège semble fuir le silence des montagnes, avec son bruit ·de sabots entre l'éternel cri des ra-

paces et ce bruit clandestin de san-
glots.

Une escadrille fasciste bombarde le
port de Valence à six kilomètres. La
bruine recouvre Valence et ruisselle
doucement sur les orangers. Pour la
fête des enfants, les syndicats ont pré-
paré un cortège. Les délégations des
gosses ont exigé les personnages des
dessins animés; les syndicats ont construit en carton des Mickeys énormes,
des Félix-le-Chat, des Canard-Donald
(précédés, quand même, d'un don Quichotte et d'un Sancho). Entre les milliers d'enfants venus de toute la pro-
vince pour la fête dédiée aux enfants
réfugiés de Madrid, beaucoup sont
sans abri. Sur le boulevard extérieur,
les chars, leur triomphe terminé, sont
au rancart; pendant deux kilomètres
apparaissent dans les phares de mon
auto les animaux parlants de la féerie,
du monde où tous ceux qu'on tue res-
suscitent... Des gosses sans abri se

sont logés sous les personnages de carton, entre les jambes des souris et des chats. L'escadrille ennemie continue à bombarder le port; sous la garde du don Quichotte nocturne, les animaux que les explosions font trembler dans la pluie branlent la tête au-dessus des enfants endormis.

Ces souvenirs de *L'Espoir* me rappellent qu'en Espagne, en Alsace, au camp de prisonniers, les médecins soignent des blessés qui ne s'éveillent pas.

Au camp de 1940, devant les barbelés auxquels des prisonniers s'accrochent, une femme passe. Devant quatre, cinq grappes d'hommes. Elle n'ose pas tirer le pain de son sac. Un peu plus loin, la faim ne marquera pas autrement les faces.

Enfin — lassitude, angoisse, peur du retour de la sentinelle —, elle avance avec effort vers les barbelés, tire du sac de moleskine une couronne de pain sur quoi le soleil étincelle :

— Partagez, partagez! implore-t-elle précipitamment.

Tant de mains se lancent, et sans doute avec une telle expression, qu'elle recule, et la couronne tombe hors des barbelés. Dans le grondement des prisonniers, il n'y a pas une parole. Elle ramasse le pain, le jette enfin, et s'enfuit sans regarder les hommes qui se relèvent, ensanglantés par les crochets de fer, et s'enfuient, eux aussi, un lambeau de pain à la main.

Elle reviendra... Ce sont toujours les mêmes qui viennent.

Pendant la Résistance, un des passeurs du colonel Rémy. Il doit passer une rivière, la mère sur son dos, l'enfant dans ses bras. Elle a si peur que l'enfant crie, qu'elle le bâillonne, le remet à l'homme, s'accroche à son cou, et le passeur part une fois de plus dans la nuit.

Une vieille dont j'ai oublié le nom, bien que je l'aie fait décorer à la Libération. Les chars allemands avancent dans le manche de la route en fourche, et la femme sait que la route de droite touche le maquis. Elle part vers eux, panier au bras. Ils l'interrogent, nous la voyons désigner la route de gauche par de grands gestes. Les chars partent à gauche, ce qui va nous permettre d'attaquer de flanc. Elle le sait, et elle sait qu'ils peuvent revenir.

J'ai connu aussi la dérision de la fraternité.

« Salut, roi des Juifs! ».

Ça commence dans un bistrot de marché noir, à Paris, en 1943. Cinq " responsables ". Le déjeuner expédié, nous filons. Raguse, le chef de la Mission gaulliste de Paris, est harcelé par un des nôtres, dont je sais seulement qu'il est un colonel d'active.

— Lancelot, lui dit-il, voulez-vous régler avec Berger cette petite question? Il est plus compétent que moi.

Et à voix basse :

« Délivre-moi à tout prix de ce dingo! Autre chose à faire aujourd'hui, bon Dieu! »

Les autres l'accompagnent, le colonel m'attend, et dit dès que j'ai repris ma place :

— Voici. Il existe entre l'armée et les intellectuels un fossé qui semble infranchissable. Il ne l'est pas. Nous avons, mon cher compagnon, bien des poètes dans l'armée! Dès la Libération, il faudrait créer une revue de poésie, consacrée aux poètes de l'armée. Au début, nous ne donnerions que des sonnets. Parce que...

Éberlué, je regarde ma montre. Ça va durer, et mon agent de liaison, Violette, " la meilleure tireuse de l'armée anglaise ", m'attend dans le jardin du Trocadéro. Il ne faut pas décourager ce résistant, qui a d'autres qualités que de collectionner des sonnets; il ne faut pas non plus manquer Violette. Raguse exagère. Dialogue sur les sonnets. Promesses. Que n'aura pas promis la Résistance? La montre, les sonnets, la revue; les sonnets, la revue, la montre. Fini, enfin. De la porte du restaurant à la bouche du métro, je rumine ce que m'a dit Raguse à propos de la torture : combien de résistants ont été pris, donc torturés, pour avoir mis trop longtemps à abandonner leur chat! — et : maintenant, nous combattons en face de l'enfer.

Bon, allons chercher les documents de Ballataire, qu'apporte Violette.

Vingt minutes de retard, c'est beaucoup. Du bas du Trocadéro, je vois Violette à la porte de droite. Je ne connais pas Ballataire. Le petit bonhomme à béret basque qui vient vers elle? Coup de sifflet. Des types surgissent des fourrés, la jettent dans une voiture militaire allemande. Ballataire les suit, sans courir. Il l'a livrée? Je repars d'un air nonchalant vers la Seine; j'entends ma respiration comme le halètement saccadé d'un hors-bord qui s'éloigne; si j'étais arrivé à l'heure...

Un enfant joue au cerceau.

C'était de Violette, que j'attendais mes nouveaux contacts. Raguse s'est évanoui dans la nature, je repars demain. Mon dernier contact possible à Paris est Camaret, le chef national et le héros des Groupes Francs, les sections d'assaut de la Résistance. Il a été pris après avoir attaqué un fourgon de l'Abwehr boulevard Saint-Michel, à cent cinquante mètres de la Préfecture, délivré deux des nôtres prisonniers. Torturé, mais évadé. Raguse m'a indiqué sa nouvelle planque. Essayons. Dans quel état vais-je le trouver?

Si je le trouve.

Et pas avant sept heures.

J'attends que la nuit tombe.

Une H.L.M. de luxe, si l'on peut dire! dans le XVe. Escalier vide. Au second, à gauche. Je frappe selon le signal. Camaret vient ouvrir. Grand, mince, beau, Aryen blond! comme naguère, (il est Juif) sauf un sourire qui ne quitte pas son visage, et semble une cicatrice. Il me regarde à la lumière de l'antichambre, incline sa tête bandée comme pour exprimer qu'il me reconnaît. Je lui demande :

— Vous êtes seul?

— Oui.

Nous entrons dans une pièce bien-pensante, où se trouve un piano droit. Nous nous asseyons sur un petit divan tendu d'andrinople.

— Violette est embarquée, dis-je. Il faut que je trouve d'autres contacts.

Violette peut avoir (sait-on jamais?)

laissé des notes dans son sac — et on peut parler sous la torture. Je sais que Camaret vient d'être torturé. Le bandeau de sa tête, et, sous la chemise ouverte, des pansements... La torture m'obsède, comme elle nous obsède tous.

— Comment a-t-elle été prise? demande-t-il.

— Livrée. Par miracle, j'étais en retard.

Je raconte.

— Où est-elle?

— A la Gestapo de l'avenue Foch, je suppose. Nous le saurons demain.

— Nous ne pouvons rien contre l'avenue Foch. S'ils l'amènent ensuite à la Conciergerie, essayons. En attendant, s'ils savent qui elle est, et ils doivent le savoir, ça ira mal. Essayons...

— Vos Groupes Francs ont réussi une fois. Ils ne réussiront pas deux.

Il se lève, arpente la petite pièce.

— Nous pouvons attaquer les voitures allemandes (cette fois, vous avez raison, il y en aura plusieurs)

dans l'avenue Foch même, avant
l'Étoile...

« Dites-donc, vous connaissez
quelque chose à la haute couture?

— Non. J'ai réfléchi un peu à la
mode; ce n'est pas tout à fait la même
chose, mais...

— A quoi avez-vous réfléchi?

— Il faudrait comprendre pourquoi
les hommes portent la barbe pendant
des siècles, et puis se rasent, alors que
les femmes changent de costume
chaque année... Mais dites donc,
parlons de mes contacts!

— Quoi? Ah, oui!

La radio de Londres commence,
étouffée, à passer les " messages per-
sonnels ".

Il reprend sa marche, s'arrête devant la table, écrit sur un bloc.

— Voici le Délégué militaire pour
Paris. Maintenant, mon contact pour
Londres. C'est noté?

Il veut dire : est-ce appris. La Résistance ne note plus rien. Je tire mon

briquet, j'écrase dans le cendrier la petite feuille brûlée.

— J'ai besoin aussi d'un contact moins important : une émettrice, une agent de liaison, une autre Violette.

— Voici la mienne. Très mal habillée. Pourquoi les femmes changent-elles de costume chaque année? Et pourquoi la mode est-elle plus forte qu'elles?

A peine a-t-il posé sa question, qu'il se prend la tête à deux mains : son visage n'est plus que celui de la souffrance.

A la radio, le général de Gaulle parle.

— La réponse à la première question me paraît simple, dis-je, être à la mode avant les autres, c'était être une femme du monde, non? Mais qu'est-ce que ça peut vous faire?

Il s'assied, pianote furieusement sur la table.

— J'aime une artiste. Une artiste de la mode. Créatrice de modèles. Charmante. Aristocrate tchèque. Savoir pourquoi on peut créer un modèle et non un autre, est aussi important que savoir comment on peut contacter le Délégué militaire de Paris, non?

Il reprend sa marche, retrouve son rire crispé. D'autant plus crispé qu'il ne semble pas lui appartenir : sa superbe gueule de Siegfried appelle son sourire de naguère, et ce rictus y semble intrus.

— Vous savez, Berger, la Résistance devrait créer ses modes. Invisibles, bien sûr. Invisibles. Mais nous les reconnaîtrions. La radio de Londres décrirait les modèles. Nos copines s'habilleraient en conséquence, chez elles. Les religieuses portent leur costume dans leur couvent. La mode de l'année prochaine suivra les modèles de mon amie. Je le lui ai dit. Quand on m'a interrogé à la Gestapo, le second jour, toutes les souris-grises portaient cette mode-là. Pour me faire honneur.

Il ne plaisante pas. Est-ce que je commence à comprendre? Je ne vais pas lui demander comment on l'a torturé le premier jour? Après le colonel aux sonnets, c'est le temps des extravagants. Camaret se transforme de plus en plus — son rictus, maintenant, le ravage — mais les " contacts " qu'il a donnés sont sans doute exacts. Sa voix monte :

— Alors quoi, vous pensez quelque chose sur l'évolution de la mode, oui ou non?

— Ce que je pense est assez banal...

Il hurle, écumant :

— Vous n'êtes pas Berger! Berger sait ce qu'il pense, mais je vous ai pris au piège! Vous êtes de la Gestapo! N'essayez pas...

Il tire de son aisselle un revolver. Depuis quelques secondes, j'attends quelque chose de ce genre. Les fous ont rarement l'air de fous. J'ai pensé à une amie folle rencontrée rue du Bac, jadis; normale, et même éloquente :

« Quand j'ai changé de chambre, à l'hôpital, dans ma fenêtre, il y avait un arbre. Je n'avais pas vu d'arbre depuis des mois. Un arbre!... » Ému mais pressé, je suivais la nurse qui poussait la voiture de ma petite fille, la folle à côté de moi. Au moment où elle ajoutait avec calme : « J'ai retrouvé la vie... » elle avait ouvert son sac et en avait tiré un rasoir.

D'un coup à casser le bras de Camaret, j'envoie rouler le revolver, cours vers la porte. Haletant, comme lorsque j'ai quitté le Trocadéro. La Gestapo surveille-t-elle la maison? Le doigt sur la gâchette de mon propre revolver, je me glisse dans le black-out de la rue. Ni passants ni police. Je trébuche en m'appuyant au mur. En face de moi, sur une grande maison aux volets clos, le vaste rectangle de lumière projeté par la fenêtre ouverte, comme un écran de cinéma; l'ombre de Camaret qui gesticule, et ses cris dans le silence de Paris aux aguets :

— Tous des indicateurs! M'auront pas! Peuvent courir, et les cons de Fritz aussi! La mode sera française!

La radio de Londres, branchée à pleine puissance, hache ses hurlements.

A la radio, les " messages " continuent : « Le petit bonhomme a perdu sa bouteille... Le... »

Sans ralentir, je regarde l'ombre du héros des Groupes Francs se démener dans son rectangle de lumière projetée sur la maison aux volets clos, en face. Sous le ciel presque éclairé par la profusion d'étoiles.

L'hôtelière de Gramat agenouillée dans mon sang : « C'est pour l'officier français fusillé. »

La belle religieuse qui m'apporte l'évangile selon saint Jean, et du vrai café. (J'étais en train de lire une pièce

idiote dans *L'Illustration théâtrale*.)
Le couvent ressemblait à la Salpêtrière.

Dans la lucarne de l'ambulance allemande qui m'emporte, les fumées de
nos fermes incendiées raient tout le
ciel, comme celles des réservoirs en
feu au temps de la retraite.

En Auvergne, au pied des puys, nos
gazogènes en route pour le front
d'Alsace comme des taxis de la Marne.
Brive et Périgueux prises, les maquis
de Corrèze et de Dordogne partent
pour le front d'Alsace avec les Alsaciens qui ont libéré leurs villes avec eux.

La dernière lettre à sa femme du
capitaine Peltre, notre premier mort
des Vosges : « Je n'ignore pas que
j'ai femme et enfant, peut-être
enfants, et pour vous, pour moi, je
tiens à la vie, assez pour faire mon
devoir — celui d'homme au sens plein
du mot, qui essaie de donner à tous
ce qu'il doit de lui-même, et qui

est sans témérité. » Maquisards en calot, habitués aux bazookas et à la forêt, nous prenons position en avant des chars de la 1re D.B. paralysés par une boue préhistorique. Les casques arrivent le cinquième jour, et Peltre est tué en distribuant ceux de ses hommes.

Nous l'avons enseveli au cimetière de Froideconche, où sont enterrés les soldats dont on a rapporté les corps.

Les petites filles et l'institutrice ont passé la nuit à coudre, et toutes nos tombes sont fleuries de drapeaux enfantins.

Encore des fermes qui flambent : la bataille de Dannemarie. Les « unités de volontaires » attaquent au matin. Tous ont été volontaires, avec le haussement d'épaules de l'évidence. La nuit entière, ils ont attendu, couchés sur les champs de givre le long des bêtes chaudes, pendant qu'à l'horizon brûlaient des fermes. C'est l'aube.

Ils attaquent les chars allemands couverts de gelée blanche, à droite; la Légion, à gauche. Elle ne choisit pas sa guerre. Ceux qui ont longtemps combattu avec leurs mains nues, ceux qui chipaient les poulets, avancent au lent pas historique des Légionnaires, résolus à servir de cible à l'égal des " képis blancs " formés par les batailles. Les files d'ambulances reviennent à l'hôpital de campagne, dégorgent leurs blessés, et les messagers demandent des chefs de commandos pour remplacer ceux qui viennent de tomber, vague après vague. Déjà les compagnies se sont dispersées pour l'attaque, et l'on ne voit plus, à gauche, que des casques perdus dans les buissons, les champs et le givre, et à droite, des képis blancs. Les deux vagues montent du même pas. Dans l'aube des champs de Dannemarie gorgés de sang depuis trois cents ans, les clochards voltigeurs des maquis, accompagnent le pas pesant de la première troupe d'élite de l'armée française morte, avec l'ébranlement sourd qui rejoint dans ma mémoire, l'ébranlement de la Garde. Tous les officiers supérieurs blessés, l'attaque va finir avec moi.

Qu'il fait froid sur la terre! Le lendemain, dans la nuit de lune et d'incendies, la longue suite des prisonniers allemands — comme nous, quatre ans plus tôt...

Nos armes prises à l'ennemi.

Nos brancardières qui allaient ramasser les blessés sous les obus.

Bien plus tard, après le retour du général de Gaulle, les gorilles amis, prêts à la même bombe que moi, l'un d'eux lisant assidûment *Le Canard enchaîné* : Paris...

L'adolescente en armure qui commémore Jeanne d'Arc aux fêtes d'Orléans. Je lui ai dit qu'elle ressemblait à la France, et elle sera la première à m'écrire quand mes enfants mourront.

Les menus jeux en fil de fer auxquels s'entraînait le général.

A Colombey, pour ses funérailles. Ponchardier, le « Gorille » de la Résistance, inventeur du mot, et qui ouvrit en pleine occupation la prison d'Amiens — devenu gouverneur de Djibouti, me raconte que les Afars et les Issas, dès l'annonce de la mort, se sont mis en marche à travers le désert pour venir écrire leur signe sur le registre ouvert au palais du Gouvernement. Nous nous hâtons dans le jour gris, sous le glas auquel répond celui de toutes les églises de France et, dans mon souvenir, toutes les cloches de la Libération. J'ai déjà vu le tombeau ouvert, les deux énormes couronnes sur le côté : Mao Tsé-toung, Chou En-Laï. A Colombey, dans la petite église sans passé, il y aura la paroisse, la famille, l'Ordre : les funérailles des chevaliers. Ici, dans la foule, derrière les fusiliers marins qui présentent les armes, une paysanne en châle noir, comme celles de nos maquis de Corrèze, hurle : « Pourquoi est-ce qu'on ne me laisse pas passer! Il a dit : tout le monde! Il a dit : tout le monde! » Je pose la main sur l'épaule du marin : « Vous devriez la laisser, ça ferait plaisir au général. » Il pivote sans un mot et sans que ses bras bougent, semble présenter les armes à la France misérable et fidèle — et la femme se hâte en claudiquant vers l'église, devant le grondement du char qui porte le cercueil.

La nuit, sur les Champs-Élysées qu'il descendit jadis, une multitude silencieuse porte à l'Arc de triomphe les marguerites ruisselantes de pluie que la France n'a plus apportées depuis la mort de Victor Hugo.

Je ne pense pas à cette descente des Champs-Élysées où la France sembla entendre enfin : « Quand tu te lèveras d'entre les morts... », je pense à la chuchotante marche des femmes dans la nuit pluvieuse, vers le drapeau dont le claquement emplit l'arche sonore de l'Étoile. Sous la garde funèbre des lampadaires, les traînées frémissantes de la pluie s'inclinent comme des lances; un silence infini vient de Paris; à Pékin, les drapeaux sont en berne sur la Cité interdite. La fraternité nocturne monte pas à pas vers l'Arc pour jeter ses fleurs, et la Flamme, tour à tour claquée par le vent et resurgie, éteint ou illumine les faces ruisselantes. La communion est quelquefois aussi forte que la mort.

S'enfouir, glisser, sombrer — rejaillir, comme la flamme de l'Arc de triomphe que plaquait au sol le vent nocturne. Autant que la nuit des Champs-Élysées, je suis habité par les Russes et les Allemands, dans la forêt de la Vistule. Par le mot : spasmodique, et des trombes sur la mer de Chine. Pourtant la lucidité revient.

Non seulement l'examen de ma vie me reste étranger, mais le frôlement de la mort le rend dérisoire; non seulement la mort n'appelle pas ceux que j'ai aimés, mais, dans cette chambre de clinique, elle nous chasse ensemble. Alors qu'elle accueille mes souvenirs de fraternité. La criante relation de la fraternité avec la mort reste pourtant énigmatique. Comme avec la folie : l'ombre gesticulante de Camaret rejoint les figures à groins qui portaient, aux ambulances de Bolgako, les Russes gazés.

Depuis l'*Altenburg* — plus de trente ans — je veux savoir ce que je pense de l'homme fondamental. L'homme pareil à lui-même à travers les civilisations, pareil au passant de Babylone; pareil au semi-gorille qui, levant les yeux, se sentit pour la première fois le frère du ciel étoilé; pareil aux noyers de l'Altenburg qui renaissaient des noix mortes, à cent mètres des saints sculptés dans les noyers de jadis.

Pareils à tant de morts — et, en 1943, la Résistance comptait plus de morts que de vivants. La fraternité du combat assure un lien profond entre un homme et les siens; rigoureusement, elle est communion.

Le sursaut des soldats de la Vistule a révélé en chacun le semblable de celui qu'il devait combattre, et qu'il sauvait — le semblable de la mère espagnole qui se taisait pour embrasser son fils déchiqueté. Les Allemands de Bolgako, la vieille qui engageait sur la mauvaise route les Allemands de Hitler, ont été des *témoins*. De leur cause? Presque tous auraient dit : « Il faut ce qu'il faut. » Rien de plus; la dignité... Nos petits morts dans la haute montagne. « ... La solennité des montagnes ne prévaut pas sur une tache de sang, quand elle est d'un sang fraternel. » Notre première attaque dans la forêt d'Alsace : nous n'entendions pas encore les chars ennemis. Je regardais les sapins comme des piliers de cathédrale, et les nôtres sur qui le tir des mitrailleuses faisait pleuvoir les branchettes : témoins — de quoi? — en face de la grande indifférence des arbres...

De nouveau, la fièvre monte. Lorsque le soir s'approche avec ses plaintes, ce que je note commence à se dissoudre dans une plongée tiède, comme si mes mains, en s'ouvrant, découvraient qu'elles abandonnent la vie. Confusément, je...

La crise a été moins forte que la précédente. Je savais que mon stylo allait m'échapper. Ne noterai-je, de la Maison des morts, que la vie, et de la démence, que la lucidité? Nous prenons conscience de notre respiration lorsqu'elle est coupée, et de l'espoir, lorsqu'il se retire. La vertu théologale nommée Espérance ne se confond pas avec le halètement insatiable du joueur pendant que tourne la roulette : l'espérance n'est pas espérance de quelque chose. Mais la crise l'escamote vite. Retour à travers les rêves.

Il m'advient de retrouver d'anciens rêves, et de les reconnaître. Je parcours des terres plombées, tuyaux et débris de tuiles où erre une multitude de frileux manteaux sans corps, entre des clôtures aux perspectives sans fin; un compagnon, qui devine mon angoisse malgré mon silence, murmure, désignant vaguement ces limbes : « Ce n'est rien, monsieur : c'est l'inconscient... » Au camp de prisonniers de 1940, je regardais des milliers d'ombres dans l'inquiète clarté de l'aube, et je pensais : « C'est l'homme. » Cette nuit, je n'ai rien pensé, j'ai glissé dans l'état inconnu. J'émerge d'immenses décombres, mais ne me souviens pas que des décombres. Voici mon dernier rêve. L'exode de 1940 plein de roses et de poussière, les paysans qui incendient leurs meules avant l'arrivée de l'ennemi, pendant que le soir tombe dans le brouillard d'été. Retour aux terres plombées du rêve précédent. Puis, une nuit solennelle m'entoure. Des astres appareillent. Les étoiles naissantes qui emplirent la vieillesse de Victor Hugo, les constellations de Booz se lèvent sur la mort.

Les états extatiques, hors du christianisme qui les lie au Christ, sont sans doute parents de celui qui m'envahit ensuite. Pourtant, si le haschich, dont j'ai connu au Siam l'action religieuse, prodigue son intensité à la musique ou au divin que nous lui apportons, il ne fait naître aucune pensée, n'apporte aucune découverte. Il ne m'eût pas dit que ces deux rêves me parlaient de la mort. Je ne me posais aucune question. J'ai été pénétré par : « Ma propre mort appartient radicalement à l'impensable. » Radicalement : l'adverbe se prolongeait, s'approfondissait, comme intensifié par un stimulant, s'enroulait autour du professeur dont la longue silhouette au long nez avait empli ma mémoire de ses longs mouvements, et qui venait alors de se serrer comme un nœud :

« — La fascination du cadavre... Le
pire pourvoyeur de l'angoisse... »

Pour moi, le pire pourvoyeur de l'angoisse était la syncope, d'autant plus
qu'elle se mêlait, dans mon esprit, au
coma prolongé qui hésite de la vie à
la mort... La syncope n'est pas la vie
artificielle, elles n'en ont pas moins en
commun la terre de l'absence... Je
n'avais pas oublié : « On pense : *je*
serai ceci. » « Ceci » ne suggérant pas
moins la catalepsie que la décomposition.

« — Mon expérience de la mort, avait
dit le professeur, n'inclut pas encore
la mienne, vous savez! » Ma plus profonde conscience ne se confond ni avec
un moment élu de mon passé ni avec
sa totalité; même en face de la mort,
car elle eût été de même nature dix
ans plus tôt. Affirmation informe et
véhémente de chacun pour soi-même,

dont je me suis souvenu en entrant à l'hôpital, « le monstre incomparable et fuyant que chacun choie dans son cœur ». Je ne le choie plus guère, je le connais toujours. D'autant mieux que si la syncope ne m'a pas livré ce moi informe, elle m'a désincarné de l'autre. Au bénéfice de rien; désincarné pourtant. J'avais perdu tout, sauf vivre. Plus de directions. Plus guère de corps. Plus d'identité : *exit*. La conscience de la vie n'est pas celle de la personne. Un passé actuel. Les plaintes de la Salpêtrière répondent à celles du préau de Shanghai. Presque plus d'images; elles se sont pressées et se dissipent par essaims, comme celles des drogues apparaissent par cycles; mon traitement agit souvent comme un stimulant, accroît la confusion ou la lucidité tour à tour. Un de mes personnages (lequel?) entend un phonographe émettre sa voix enregistrée, et ne la reconnaît pas; l'expérience, aujourd'hui banale, n'a pas perdu sa force de symbole.

Les hommes entendent toujours leur voix avec la gorge, et celle des autres, avec les oreilles. Si nous entendions soudain une autre voix que la nôtre avec la gorge, nous serions terrifiés. J'avais écrit que tout homme entend *sa vie* avec la gorge, celle des autres, avec les oreilles, sauf dans la fraternité ou l'amour. Le livre s'appelait *La Condition humaine.*

J'ai, depuis, beaucoup retrouvé la mort. Je retrouve, entre la menace et le souvenir, la conscience fondamentale que connaît bien le bouddhisme. Lorsque l'ascète a perdu toutes les formes de l'illusion sans atteindre l'illumination, il n'éprouve plus que l'insondable conscience d'exister, la Paix de l'Abîme, dans l'unité de tous les âges de sa vie. L'homme a moins absurdement tenté de se voir en Dieu qu'en autrui, car le reflet ne nous présente qu'une connaissance, et la conscience est de l'ordre de la croyance. L'opération mentale par laquelle nous tentons de nous concevoir est aussi distincte de cette conscience, que la théologie est distincte de la foi. Le plus humble croit en lui parce qu'il ne peut pas faire autrement; à un moi plutôt qu'au néant — et se croit néant plutôt que de ne rien croire. La conscience archaïque que l'on prête au cerveau du plésiosaure humain est au-delà de la pensée parce qu'elle rejoint le plus profond inconscient, au-delà du langage. Muette — comme le dieu qui peut détruire la terre, mais n'a rien à dire à l'homme. Mais présente, quel que soit le moi vivant, celui de la dernière douleur qui ne veut pas mourir, celui de la dernière victime de « Nuit et Brouillard », celui de l'empereur Andronic devant la dernière torture : « Seigneur, pourquoi t'acharnes-tu sur un roseau brisé? » Un *je suis* bien au-delà du *je pense*.

« Depuis que j'étudie les papillons, disait Méry, l'homme me paraît la

seule bête qui ait le malheur de se souvenir de son enfance-chenille. » Ce
qui le livre au cadavre, car un mort
pacifié (ils le sont presque tous ici,
disent les infirmières) ressemble plus
au vivant qu'il était hier, qu'un vivant
à l'enfant qu'il était jadis. L'enfant
appelle-t-il la dépouille?

Et si notre conscience fondamentale
n'est que conscience de vivre, ne se
révulse-t-elle pas devant le néant
comme le corps devant la strangula-
tion, comme les hommes de Bolgako
devant les gaz asphyxiants? J'entends
la psalmodie sur le Gange :

« ...*non né, éternel, perpétuel,*

« *Ancien. De même que l'on rejette
les vêtements usés, et que l'on en revêt
d'autres,*

« *De même, ce qui est revêtu d'un
corps, rejette*

« *Les corps usés...* »

Mais notre cerveau de saurien n'a
connu que des trépassés éternels;
ils changeaient de vie, retrouvaient

les Ancêtres. Puis, l'humanité changeait d'au-delà... L'âge des Lumières, déiste, croyait l'âme immortelle. La planète comble de morts entend pour la première fois nommer humanité, notre mince pellicule de vivants. La mort est une découverte récente et inachevée. Le saurien mythique enseveli en nous la récuse aussi radicalement que la conscience des vrais fous récuse le monde. Il achève cinquante millénaires de paradis, d'enfers et de libérations par la dérisoire survie d'un visage de mort. « Je serai ceci. » Le drame de l'agnosticisme ne vient pas de ce que nous tenons la mort pour impensable, mais de ce que nous n'y parvenons point. A ce jeu, le cadavre est plus fort que l'homme. Le mot : inconnaissable, suggère sournoisement une connaissance jamais atteinte, mais qui prolongerait la nôtre; pourtant, loin de nous être donné, l'impensable doit être arraché aux réincarnations, aux survies, à tout ce qui demeure, fût-ce le cadavre. Le professeur a raison : l'homme lui est attaché par une étreinte d'insectes que ne dénoue pas le feu, par le regard de mon couple adolescent au cinéma. Mais mon interlocuteur n'a pas pressenti comment le cadavre est garant du néant. Parce que ce néant, contre le « rien » de l'impensable, est la dernière forme de la survie. Avec l'ambivalence de crainte et d'espoir attachée aux survies — et que mon prêtre du camp de 1940 accordait aux derniers instants... L'humanité se lie au cadavre comme elle l'a fait aux figures de gisants et de transis : jamais la chrétienté n'a craint le Jugement, plus qu'à l'époque de la Danse Macabre.

Les chrétiens du XIe siècle se convertirent en masse au christianisme lorsqu'ils arrachèrent à la forêt capétienne la fameuse robe d'églises; pourtant, ils étaient chrétiens. Je tâtonne vers l'évidence si profondément enfouie en moi, comme vers le commutateur dans la nuit de la première syncope. L'impensable n'est pas ce qui nous est caché. Il n'implique pas notre impuissance, il n'implique RIEN.

L'impensable épouvante l'humanité, alors que lui seul la délivrerait. Où me mène la rêverie? Assis sur le marchepied d'une auto dans le désert de Lout, en Perse, au temps du Moyen Age éternel; le chauffeur change une roue. Je m'entretiens de religion avec Souleyman d'Ispahan et son neveu Saïdi, le sioniste (les deux antiquaires qui enverront au Louvre l'étoffe teinte, peut-être, du sang d'Alexandre le Grand). Une caravane de camions, hérissés de turbans et de cages à poules, s'éloigne, à travers les mouches, vers l'horizon piqué de moulins à vent.

— Vous connaissez, dit le sioniste, la sourate qui enseigne que nous ne pouvons pas comprendre le monde? Iaweh a déclaré cela à Job bien avant leur prophète! Mais à Shiraz, les mollahs ont transformé cette histoire avec une grande excellence. On les cite partout.

Il montre du doigt les deux ornières creusées dans la piste par les camions. Un grillon gros comme une écrevisse vient d'y sauter, antennes dressées.

« Ils disent : " Le camion, supposons, aurait écrasé le grillon. Il ne serait pas tout à fait mort. Il penserait : j'ai été écrasé par un diable. Très gros, très fort. Il ne faut pas rencontrer les diables, ils vous tuent. " Il pourrait penser que ce diable est très méchant, mais il ne pourrait pas du tout penser comment marche un moteur à explosion. Ni ce que le moteur pense. Ou qu'il ne pense rien.

— Voilà pourquoi il faut que les gens aient un Livre, dit Souleyman, qui fut maître d'école à la communauté israélite. Même les Russes. Vous m'avez dit qu'ils en ont un.

Le petit Souleyman tout rond, Saïdi grand et cambré, me font penser à un moutardier en désaccord avec sa cuiller dans la solitude éternelle.

— Il faut surtout ne jamais s'occuper des moteurs des autres! répond Saïdi.

Car l'inconnaissable absolu n'est pas un domaine du doute, il est aussi impérieux que les Fois successives de l'humanité, même dans ce désert sans oiseaux, comme celui où Satan apparut à Jésus. La chenille doit devenir chrysalide, la chrysalide, devenir papillon — le papillon, ne se souvenir ni de la chrysalide ni de la chenille. Doit? Le papillon ignorera toujours d'où vient l'ordre, au double sens du mot. Mais si nous craignons le cancer, nous ne craignons point de nous voir soudain pousser trois bras. Si mon pauvre voisin avait été réellement possédé par la certitude de ne rien comprendre de la mort, il ne l'eût pas crainte. « Sauvé » disent les religions.

Sauvé au moins de l'épouvante, à l'affût dans la pénombre : les toiles d'araignées pendent dans les encoignures.

« — Je vous parle comme quelqu'un qui a vu beaucoup mourir, et, la plupart du temps, bien mal... », m'a dit le professeur. L'épouvante que j'ai rencontrée dans cette chambre, après mon écroulement et mon voyage sur la petite table, n'avait rien de commun avec ce que je *pense* de la mort. Combien d'humains terrifiés depuis si longtemps par leur au-delà, bête d'Apocalypse plus avide que les fléaux ou la bombe atomique, puisque nul ne lui échappait! De quelle manière secourir mon malheureux voisin, s'il était perdu? Plus les êtres nous sont proches, plus nous sommes aveugles; mais combien d'hindouistes, de bouddhistes, combien de ceux qui ne savent pas ce qu'ils croient, auraient été délivrés du Spectre par la certitude de ne pas renaître Intouchables, ani-

maux immondes, créatures de désespoir — et de n'être pas davantage
néant? Le vocabulaire de l'Orient
cerne la démente métempsycose de
l'Occident, terrifié par le fascinant et
absurde : « *Tu renaîtras* néant. » Le
professeur a raison lorsqu'il parle de
transmigration — de ce qui relie : tu
deviendras cadavre, à : tu deviendras
souris. Quel poids aurait cette pensée-
araignée, si l'Occident n'avait livré
l'homme à sa propre dépouille? L'angoisse du néant ne sait pas qu'elle
aurait pour caricature l'angoisse du
zéro, car on croit au néant comme
on croit au diable, et non comme on
connaît la naissance. Et le néant *veut*
le gisant. L'esprit a prodigué ses
formes inépuisables à l'au-delà, jusqu'à la dernière âme immortelle; le
néant mis en ballottage, c'est la conscience la plus profonde, celle d'être
vivant, qu'asservit l'inconscient pour
lier l'homme au cadavre. La pensée
agnostique ne parle à la mort, d'égale

à égale, que si elle se fonde elle-même en foi. Tout dialogue avec la mort commence à l'irrationnel. On *sait* que la mort est impensable; personne n'en a *conscience,* me répètent la fièvre, l'hôpital, le professeur. L'agnosticisme, lorsqu'il accepte son propre irrationnel, lorsqu'il éprouve l'impensable avec la force de la foi, découvre, dans l'angoisse de la mort, la réincarnation de la Danse macabre, provisoire comme elle : les charniers fermés ont désincarné cette Terreur éphémère...

Mes souvenirs, a-t-on dit, s'attardent à mes retours sur terre — après le cyclone ou la fosse à chars, aux heures de la Vistule, de l'Espagne et de la Résistance, moments qui jouent le rôle d'épiphanies. La métamorphose en conscience, de l'ignorance de la mort, la métamorphose en croyance, de toute connaissance, ne sont-elles pas de l'ordre des épiphanies? Mon errance hors de la terre pour rapporter les comprimés, est aussi une épiphanie des ténèbres. La révélation est que rien ne peut être révélé. L'inconnu de l'impensable n'a pas de forme ni de nom.

Rien de commun entre cette évidence, et les images de fraternité. Une bouffée comme l'odeur du rideau d'acacias plein des hannetons de mon enfance, le premier grand froid de la guerre d'Espagne, le premier feu de bûches dont j'ai compris la langue de souvenirs. Le prédicateur des Hurdes sur le front de Madrid : « Une étoile inconnue se leva au-dessus d'eux... » Quelles épiphanies rejoignent l'épiphanie de l'impensable? Celles de la vie : précisément lorsque l'avion échappé au cyclone m'avait livré à la petite ville terrestre, avec ses blanchisseries, son chat dans une vitrine et l'énorme enseigne de gantier comme une Main du destin... Celle du premier matin après la fosse à chars, la paysanne réconciliée avec le cosmos comme une pierre. (« Quand on est vieux, on n'a plus que d'l'usure... ») Les granges, les feux éteints, le puits, les ronces, les épingles à linge tellement accordées à la terre dans la miraculeuse révélation du jour... Celle des noyers d'Alsace dressés au centre de l'anneau des jeunes pousses et des noix mortes de l'hiver... Si, plus tard, à travers radios et télévisions, devant les hommes enfin prêts à l'entendre, le dernier Prophète venait hurler à la mort : il n'y a pas de néant!... L'humanité ne se souvient pas des tremblements de terre de ses religions. Saint Paul, saint François, Luther, épisodes... Le bouleversement du bouddhisme, péripétie : les paroles sacrées elles-mêmes avaient condamné les hommes à la Roue, des inspirés révèlent que le bouddha Amida délivrera enfin, dans sa Terre Pure, les myriades de croyants qui l'auront invoqué en compatissant à la misère des êtres... Passer de la tanière des

Intouchables au paradis de la Terre Pure, vanité des vanités... Vanité, ces multitudes sauvées, cent fois plus nombreuses que les foules pourries par la Peste Noire. Insignifiance, les Grandes Découvertes de l'âme... le chrétien d'Orient après le schisme, le chrétien d'Occident après la Réforme — l'homme devant la première rencontre de l'agonie, la civilisation qui croit exorciser l'anéantissement par la peur de la mort... Sous cette dérive de nuées à travers l'oubli, les paysans qui brûlent leurs meules dans le soir ne prévalent pas sur le soir où se lèvent les étoiles de bénédiction : « Je sens mon profond soir vaguement s'étoiler... » L'inconcevable n'a aucun attribut — pas même la menace : l'homme ne devient pas plus scorpion que damné, et pas plus néant que scorpion.

Notre corps se défend avec tant de force, que nous ne pouvons pas nous étrangler. Nous ne nous habituons pas même à la menace; pourtant ce terrible voyage devient moins fréquent. Les souvenirs précis du premier m'abandonnent. Et nul ne doute du langage du corps. Il y a trois mois, la dernière phalange de mon index droit a été fracturée par une portière d'auto. Un peu plus tard, a paru au-dessus de la lunule une coupure aussi nette qu'un coup de gouge; elle avance avec le temps, partage maintenant l'ongle en deux. Je n'ai jamais vu avec une telle précision la marque de ma vie sur mon corps. Il se modifie partout insensiblement; ici, de façon aussi visible que l'alcool rouge monte dans un thermomètre. Las du bruissement des voix de la mort, au réveil, sur mon ongle, je regarde la vie avancer.

Mais depuis plusieurs jours, je diffère de noter ceci. Les textes zen disent que le sentiment d'agonie qui précède l'Illumination déclenche le rire. Peu avant de perdre conscience, j'ai vu mon chat Fourrure, et entrevu dans l'obscurité le sourire du chat invisible d'*Alice au pays des merveilles*. A l'instant de basculer (j'avais quitté terre) j'ai senti la mort s'éloigner; pénétré, envahi, possédé, comme par une présence étrangère, comme Booz par l'immense bonté qui tombait du firmament chaldéen — par une *ironie* inexplicablement réconciliée, qui fixait au passage la face usée de la mort.

DU MÊME AUTEUR

LES CONQUÉRANTS
LA VOIE ROYALE
LA CONDITION HUMAINE
L'ESPOIR
LE MIROIR DES LIMBES :
  I. ANTIMÉMOIRES
  II. LA CORDE ET LES SOURIS, *qui comprendra*
      LES CHÊNES QU'ON ABAT...
      LA TÊTE D'OBSIDIENNE
      LAZARE
      et autres textes en préparation
ORAISONS FUNÈBRES

LA TENTATION DE L'OCCIDENT
SATURNE, essai sur Goya
LES VOIX DU SILENCE
LE MUSÉE IMAGINAIRE DE LA SCULPTURE MONDIALE
  I. LA STATUAIRE
  II. DES BAS-RELIEFS AUX GROTTES SACRÉES
  III. LE MONDE CHRÉTIEN
LA MÉTAMORPHOSE DES DIEUX
  I. LE SURNATUREL
  II. L'IRRÉEL
  III. L'INTEMPOREL *(en préparation)*

Toutes ces œuvres ont été publiées aux Éditions Gallimard, à l'exception de celles parues aux Éditions Grasset : LES CONQUÉRANTS, LA VOIE ROYALE *et* LA TENTATION DE L'OCCIDENT.

*L'édition originale de cet ouvrage
a été tirée
à quatre cent soixante-quinze exemplaires,
savoir :
cent vingt exemplaires
sur vergé de Hollande van Gelder
numérotés de 1 à 120
et trois cent cinquante-cinq exemplaires
sur vélin pur fil Lafuma-Navarre
numérotés de 121 à 475.*

Imprimerie Floch, Mayenne. 16 décembre 1974.
N° d'édition : 19691; dépôt légal : 4ᵉ trimestre 1974;
imprimé en France.
(13225)